**REFLEXÕES
SOBRE
SHAKESPEARE**

SERVIÇO SOCIAL DO COMÉRCIO
Administração Regional no Estado de São Paulo

Presidente do Conselho Regional
Abram Szajman
Diretor Regional
Danilo Santos de Miranda

Conselho Editorial
Ivan Giannini
Joel Naimayer Padula
Luiz Deoclécio Massaro Galina
Sérgio José Battistelli

Edições Sesc São Paulo
Gerente Marcos Lepiscopo
Gerente adjunta Isabel M. M. Alexandre
Coordenação editorial Clívia Ramiro,
Cristianne Lameirinha, Francis Manzoni
Produção editorial Thiago Lins
Coordenação gráfica Katia Verissimo
Produção gráfica Fabio Pinotti
Coordenação de comunicação Bruna Zarnoviec Daniel

PETER BROOK

REFLEXÕES 2

TRADUÇÃO
MARCELO GOMES

SOBRE SHAKESPEARE

edições sesc

Título original: The Quality of Mercy
Publicado originalmente
em inglês por Nick Hern Books, Londres.

© 2013, 2014 Peter Brook
© Edições Sesc São Paulo, 2016
Todos os direitos reservados

Preparação Thiago Lins
Revisão Pedro Silva e Heloisa Amorim Dip
Capa, projeto gráfico e diagramação Bloco Gráfico

B79o1q

Brook, Peter
    Reflexões sobre Shakespeare: Peter Brook;
Tradução de Marcelo Gomes. – São Paulo:
Edições Sesc São Paulo, 2016. – 128 pp.

ISBN 978-85-9493-001-9

1. Artes cênicas. 2. Teatro. 3. Teatro Inglês.
4. Shakespeare, William. I. Título. II. Gomes, Marcelo.

CDD 792

EDIÇÕES SESC SÃO PAULO
Rua Cantagalo, 74 – 13º/14º andar
03319-000 – São Paulo SP Brasil
Tel. 55 11 2227-6500
edicoes@edicoes.sescsp.org.br
sescsp.org.br/edicoes
🅵 🅨 🆀 🆁 /edicoessescsp

NOTA À EDIÇÃO BRASILEIRA

Desde que se mudou para Paris e fundou o Centre International de Créations Théâtrales em Bouffes du Nord, Peter Brook produziu uma série de espetáculos que alargaram as fronteiras do teatro, tais como *The Conference of Birds*, *The Ik*, *The Mahabharata* e *The Tragedy of Hamlet*.

Reflexões sobre Shakespeare trata da ampla experiência do autor, que desde 1945 monta peças do autor inglês. Ao partir dessa vivência concreta dos ensaios e dos palcos, Brook propicia ao leitor uma visão que abrange tanto os aspectos literários quanto os dramatúrgicos e cênicos do bardo inglês. Dessa maneira, condensa a essência do conhecimento que acumulou ao longo da carreira, contribuindo para a reinterpretação – e por que não atualização – dos clássicos de tão visitada obra.

Aqui, o diretor aborda uma variedade de tópicos shakespearianos, tais como o polêmico tema da autoria, a atemporalidade da produção, o trabalho do intérprete cênico, os bastidores, a produção artística dos espetáculos e a reverência pela palavra e o verso, entre outros.

O teatro e suas múltiplas facetas são temas caros ao Sesc, seja no campo das ações artísticas, seja na área editorial. Em 2015, Brook esteve no Brasil para a encenação da peça *O terno* (*The Suit*), ampliando uma já antiga e duradoura parceria com a instituição. *Reflexões sobre Shakespeare* soma-se aos demais títulos publicados pelas Edições Sesc na área de artes cênicas, possibilitando ao leitor, profissional do teatro ou não, acesso às reflexões e à experiência desse grande diretor no ano em que se celebram os 400 anos de morte do dramaturgo inglês.

15 INTRODUÇÃO

17 AI DE MIM, POBRE YORICK
OU E SE SHAKESPEARE DESCESSE DO TRONO?

33 EU ESTAVA LÁ
DE COMO MERCÚCIO ARRANCOU GARGALHADAS

43 ASSADO NAQUELA TORTA
COZINHANDO TITO ANDRÔNICO EM BANHO-MARIA

59 QUEM SUSTENTA A BALANÇA?
OU MEDIDA, AINDA, POR MEDIDA

65 NEM VIVEREMOS TANTO
SOBRE REI LEAR

79 A AMPULHETA
CADA GRÃO TEM SUA IMPORTÂNCIA

91 UM COZINHEIRO E UM CONCEITO
SONHANDO O SONHO

103 O MUNDO É MUITO GRANDE
ESTAR PRONTO É TUDO

111 A QUALIDADE DA CLEMÊNCIA
SOBRE PRÓSPERO

125 EPÍLOGO

126 CRONOLOGIA
DAS MONTAGENS DE SHAKESPEARE
DIRIGIDAS POR PETER BROOK

Para Nina

Com um especial pedido de desculpas pelo aborrecimento que lhe causei, por tê-la sujeitado às minhas incontáveis correções ilegíveis, setas, cortes e às constantes alterações. Jamais acreditei que houvesse alguém tão paciente.

Com amor e gratidão,
Peter

INTRODUÇÃO

Este não é um trabalho acadêmico. Não tenho a intenção de fazer preleções sobre Shakespeare. Apresento aqui uma série de impressões, experiências e conclusões provisórias.

A singularidade de Shakespeare reside no fato de que, enquanto cada montagem é obrigada a descobrir sua própria forma e seus contornos, a palavra escrita não vive no passado: é uma fonte sempre capaz de criar e habitar novas formas.

Não há limites para o que se pode encontrar em Shakespeare. É por isso que tento seguir seu exemplo e evitar qualquer pedantismo.

Há um ditado africano que diz: "Ser sério demais não é muito sério".

AI DE MIM,

YORICK

POBRE

OU
E SE SHAKESPEARE DESCESSE
DO TRONO?

Eu estava em Moscou, ministrando uma palestra sobre Shakespeare no Festival Tchekhov. Quando terminei, um homem se levantou e, controlando sua voz tensa de raiva, apresentou-se ao público dizendo que vinha das Repúblicas Islâmicas ao sul do país.

"Na nossa língua", ele disse, "*Shake* significa *xeique* e *Pir* significa *homem de sabedoria*. Para nós não há dúvida – ao longo dos anos, aprendemos muito bem a decifrar mensagens secretas. Esta, por exemplo, está clara".

Então fiquei muito surpreso quando ninguém comentou que Tchekhov era tcheco.

Desde então, vez ou outra, sempre me chegaram informações sobre outras reivindicações autorais da obra do Bardo. A mais recente veio da Sicília. Um estudioso descobrira que uma família, de nome Crollolancia, havia fugido de Palermo para a Inglaterra por causa da Inquisição. Então é óbvio que "crollo" significa *shake* e "lancia" uma *spear*[1].

Alguns anos atrás, a mais prestigiada das revistas eruditas pediu a uma junta de especialistas que pesquisassem a fundo a pergunta que não quer calar: "Quem escreveu Shakespeare?". Por algum motivo eles me convidaram; então escrevi um *reductio ad absurdum* muito engraçado sobre todas essas teorias.

O editor me devolveu o texto com uma observação fria dizendo que, embora eles tenham me encomendado o artigo, não era possível publicá-lo, pois ele não estava à altura daquilo que se espera de um texto de nível acadêmico.

---

1 A sonoridade das palavras em inglês *shake* (abalo, tremor, colapso) e *spear* (lança) quando ditas em sequência se assemelha muito à de "Shakespeare". [N.T.]

Para os editores, aquilo foi a gota d'água, e, para mim, o fim da minha colaboração. Citei um ilustre humorista do século xx, Max Beerbohm. Sua resposta às tortuosas tentativas para decifrar códigos secretos, foi provar que a obra de Tennyson fora escrita pela rainha Vitória. Para isso ele fez uma paciente e detalhada varredura no poema de Tennyson, "In memoriam", analisando verso por verso, até encontrar um que pudesse ser reconstruído somente com suas letras. O resultado deste anagrama foi: "Não foi Alf quem escreveu isso, mas eu, Vic"[2].

Podemos todos concordar, no mínimo, com uma coisa: Shakespeare foi e é único. Ele está acima de qualquer outro dramaturgo. A combinação de elementos genéticos – ou planetários, caso o leitor prefira – que presidiu sua aparição no útero materno é de tal modo assombrosa que só pode acontecer uma vez em muitos milênios. Costumava-se dizer que se um milhão de macacos datilografassem em um milhão de máquinas de escrever durante um milhão de anos, isso resultaria nas obras completas de Shakespeare. Nem disso temos certeza.

Shakespeare aborda todas as facetas da existência humana. Em cada uma de suas peças, o vulgar – o grosseiro, o repugnante, o fétido, a miséria da existência ordinária – mistura-se ao belo, ao puro, ao sublime. Isso mostra-se por si só, não apenas nos personagens que cria, mas também nas palavras que ele escreve. Como pode um só cérebro abarcar tamanha amplidão? Por muito tempo, essa pergunta já era suficiente para

---

2   No original: "Alf didn´t write this I did Vic". *Alf* seria Alfred Tennyson e *Vic*, evidentemente, a rainha Vitória. [N.T.]

colocá-lo acima do homem comum. Só alguém nascido em berço de ouro, que tivesse recebido uma educação do mais alto nível justificaria sua posição. Um aluno mediano do interior, ainda que talentoso, jamais poderia percorrer tantos níveis de experiência.

Isso só seria concebível para um cérebro que fosse um em um milhão.

Quando fizemos as pesquisas sobre o cérebro humano para a peça *The man who*[3], entrei em contato com muitos fenômenos. Para citar apenas um exemplo: a espantosa capacidade de muitos *mnemonistas*. Um caso típico foi o de um taxista de Liverpool que sabia de cor, nos mínimos detalhes, o leiaute de cada quarto dos hotéis da cidade. Então, quando buscava os clientes no aeroporto, era capaz de preveni-los: "Não, o quarto 204 não é exatamente o que você procura. A cama fica muito perto da janela. Peça para ver o 319". Podia também ser ainda mais preciso: "Vá ao Liverpool Arms e peça o quarto 5... é o que o senhor está procurando". Uma memória tão prodigiosa não é resultado de uma educação de alto nível e não é suficiente para escrever como Shakespeare. O Bardo deve ter tido uma capacidade extraordinária para receber e rememorar qualquer tipo de impressão. Poetas absorvem tudo aquilo que vivenciam; poetas de gênio ainda mais: eles filtram suas experiências e têm a capacidade única de relacionar, entre si, impressões que podem parecer largamente distintas e contraditórias.

---

3   *The Man Who* é o nome de uma peça teatral adaptada por Peter Brook a partir do livro *O homem que confundiu sua mulher com um chapéu*, de Oliver Sacks. [N.T.]

Hoje em dia, a palavra "gênio" é usada muito raramente. Mas sempre que se fala sobre Shakespeare, é preciso começar pelo reconhecimento de que se trata de um caso de genialidade; então, finalmente, todo aquele rançoso esnobismo social vai pelos ares. Gênios podem surgir dos meios mais modestos. Quando observamos a vida dos santos, ao contrário dos cardeais e teólogos, muitos deles vieram de origens muito humildes.

Sobretudo Jesus: ninguém duvida de que Leonardo realmente foi Leonardo da Vinci, ainda que tenha sido um filho bastardo, nascido num vilarejo italiano. Então por que sustentar a ideia de que Shakespeare foi um caipira? A educação na Inglaterra elisabetana era do mais alto nível. Havia um princípio legal no qual nenhum filho de camponeses podia ser menos qualificado em conhecimentos clássicos do que os filhos de aristocratas. Está escrito no estatuto da escola de Stratford: "Todas as crianças têm de ser ensinadas, não importa que seus pais sejam pobres ou que elas sejam incapazes". Dá para perceber o prazer que Shakespeare tinha em caçoar dos professores. Tanto o conhecimento clássico quanto a pretensão dos pedantes entravam no vasto depósito que era o seu cérebro.

Devotados e zelosos estudiosos desenvolveram uma pesquisa colossal, especialmente James Shapiro, que fez um trabalho magnífico no sentido de trazer o sabor e as cores daquela época. Ele é capaz de nos convencer por meio de uma pesquisa tão detalhada, que – ato raro – todas as teorias são substituídas por uma experiência vibrante. Assim podemos imaginar o jovem moço do interior vivendo seus primeiros dias em Londres, caminhando pelas ruas agitadas e barulhentas, sentando em tavernas, entrando em bordéis, com olhos e ouvidos abertos, recebendo as impressões das histórias dos viajantes, dos boatos de intrigas palacianas, das disputas religiosas, das tiradas elegantes e de violentas obscenidades. Devido a sua particular avidez e poderosa receptividade, em apenas um dia – ou, se o leitor preferir, numa semana – podia colher matéria-prima mais do que suficiente, fosse social, política ou intelectual, para uma ampla gama de peças teatrais. E, na verdade, durante anos seguidos, ele viveu nesse oceano de informações que alimentaram os esboços de histórias que já fervilhavam na sua cabeça. Não é de surpreender que, exteriormente, passasse a imagem de um homem tranquilo!

Quando surge um problema de plágio dentre os eruditos, cada um destes senhores conhece muito bem o diz que diz, o eufórico burburinho que delicia o "salão nobre". É muito estranho que isso nunca os tenha levado a considerar um fator vital, o mais importante na história de Shakespeare: que o seu salão nobre era o teatro. O teatro é uma comunidade, e é somente ali, onde ele viveu dia após dia, que toda verdadeira investigação deve começar.

Quem foi esse homem, que atuava, que se sentava lado a lado com todo mundo durante os ensaios, que passava horas a fio falando com todo tipo de gente nas tavernas sem que ninguém jamais imaginasse que fosse um impostor?! Imagine um ator pedindo a um autor: "Você poderia mudar minha fala?". Ou "Esse trecho me parece um pouco longo, podemos cortá-lo?". Ou ainda "Não dá tempo de eu trocar de figurino – você poderia inserir um solilóquio ou uma pequena cena para me ajudar?".

Imagine um falso Shakespeare no meio de tudo isso, tendo de reescrever e adicionar uma nova cena. Por um instante ele pondera, calcula quanto tempo seria preciso para um homem a cavalo chegar a Oxford ou a York, aguardar um escritor misterioso escrever a cena e retornar com os textos na mão. A cada vez que isso ocorria Shakespeare devia rosnar baixinho, muxoxear, e então dizer: "Vou precisar de cinco dias". E ninguém jamais teria arriscado sequer um comentário sobre essa hipótese, ainda que isso tivesse durado anos e anos? Nenhum de seus pirracentos e ciumentos rivais farejou isso? Desculpem-me, senhores acadêmicos, mas se vocês fizessem parte de qualquer um dos meus processos de ensaio certamente pensariam diferente. Mesmo hoje, imagine um autor charlatão. O elenco notaria e faria fofocas porque toda vez que alguma coisa lhe é pedida, o sujeito cai fora fingindo estar falando no celular.

Enquanto administrador de teatro, astuto nos negócios, Shakespeare sempre percebeu que a companhia poderia quebrar e que os salários não seriam pagos a menos que, muito rapidamente, ele surgisse com um novo sucesso. Não há documentos que comprovem que algum texto tenha sido reescrito. Aliás, Ben Jonson é enfático nesse ponto. Nunca houve peças esperando em gavetas, textos inacabados ou bloqueio criativo. Nada parecido com o perfeccionismo de Beckett, reescrevendo um rascunho atrás do outro. Seu cérebro nunca parava, buscando e experimentando. Ele era como Mozart. Se, por alguma urgência, fosse preciso que ele criasse algo, rapidamente já traçava as primeiras linhas a partir do material vibrante que trazia dentro de si.

O teatro existe no presente, e não em bibliotecas ou arquivos. No teatro, seja hoje, ontem, em qualquer lugar, não importa, o autor sempre está presente como um ser humano vivo. Shakespeare não teria simplesmente podido chegar no dia da apresentação, trazendo os textos na mão, distribuindo-os na hora para os atores, para que um pouco mais tarde eles estivessem prontos para representar *Hamlet* ou *Rei Lear*, assim, sem preparação, sem prática, sem indicar entradas e saídas, sem marcar a música ou mesmo sem indicar as passagens de um tablado para outro no palco. Como é possível imaginar que tudo isso possa ter sido feito sem questionamentos, sem discussão, sem tentativas e erros?

Havia decisões práticas que tinham de ser tomadas. Basta olhar Peter Quince em *Sonho de uma noite de verão*, no personagem de Bottom, ocupado com os ensaios, fazendo parte daquilo que, em inglês, chamamos de *mechanicals*[4]; ou prestar atenção nos conselhos de Hamlet para os atores para constatar que, ainda que na época das produções shakespearianas não existissem as complicações que temos hoje em dia, elas não eram simplesmente levadas na base da improvisação; precisavam de tempo, e não podiam correr o risco de não estrear por conta de debates, desacordos e discussões acaloradas com o autor – sobretudo se este fizesse parte da companhia, pois ele saberia, melhor do que ninguém, onde estavam as tensões e teria de resolvê-las rapidamente e juntamente com todos.

É espantoso que, em suas pesquisas por evidências que sustentem suas teorias, tantos eruditos e especialistas tenham deixado de lado esses aspectos técnicos

---

4   Conjunto de seis personagens que integram a peça *Píramo e Tisbe*, que está contida em *Sonho de uma noite de verão*. [N.T.]

fundamentais. Shakespeare não era um poeta que vivia isolado, numa ilha; ao contrário, ele escrevia para uma comunidade teatral que vivia na precariedade.

Afora os atores, havia no The Globe, assim como hoje em dia, "pontos"[5] e assistentes profissionais desempenhando todas as funções necessárias para o espetáculo, sendo nomeados das formas mais distintas como, por exemplo, o assistente de palco, cuja presença era praticamente onipresente tanto nos ensaios como nas apresentações, encarregado de subir e descer o pano, organizar e distribuir os objetos de cena, verificar o momento das entradas deste ou daquele ator e, sobretudo, cabia a ele garantir a ordem, tanto no palco quanto na plateia, controlando os figurantes nas movimentadas cenas de batalha. Esses assistentes de palco, por vezes, eram conhecidos por expressar em voz alta suas opiniões sobre a peça – como faziam, em certas salas de teatro na Londres do século XVI, alguns nobres que se sentavam próximos ao palco e emitiam chistes, para desespero dos atores; assim como fazem os cortesãos em *Sonho de uma noite de verão* quando estão assistindo à peça *Píramo e Tisbe*.

É estranho, até mesmo surreal, imaginar que Shakespeare, que trabalhava ano após ano com empregados tão fatigados e descontentes, jamais tenha tido a qualidade de seu trabalho questionada. Todas as teorias que não levem em conta ensaios e apresentações não se sustentam.

---

5 Pessoa escondida que sussurra o texto para o ator caso ele tenha esquecido parte de sua fala. [N.T.]

Evidentemente, ainda hoje existem atores, aqui e acolá, que acalentam tais teorias. Mas são uns poucos e estão distantes entre si.

A época de Shakespeare fervilhava de dramaturgos, bons e ruins, generosos e malévolos. Muitos deles morreram pobres. Shakespeare foi um dos poucos que puderam sair de cena com dinheiro suficiente para comprar um pedaço de terra. O cenário era propício à inveja. A Londres elisabetana não era exceção, pois em todos os lugares autores teatrais sempre estavam tentando viver de sua escrita, prontos para escrever panfletos denunciando seus companheiros. Shakespeare era o alvo perfeito. Então, não é estranho que não existam documentos que denunciem este falso ator-administrador de teatro que fingia escrever e publicar trabalhos tão bem-sucedidos com sua própria assinatura? Há apenas as sempre citadas maledicências de Robert Greene, verdadeiro corvo arrivista[6], contrabalançadas pelas calorosas e até mesmo apologéticas referências trazidas por Ben Jonson, que louvava Shakespeare e que, por anos, seu rival declarado, foi alguém com quem o Bardo passava horas na Mermaid Tavern. Como então explicar que não possamos encontrar nenhum panfleto cômico que tivesse sido vendido em cada esquina com o mesmo sucesso bombástico de todas as teorias conspiratórias e de todas as intimidades reveladas como as que temos hoje em dia?

---

6 *Upstart crow* foi como Greene chamou Shakespeare em seu panfleto de 1592, "Groats-Worth of Wit". Nele, o autor afirma que Shakespeare era "um corvo arrivista embelezado com nossas plumas". O comentário é geralmente aceito como uma crítica à audácia do ator que se metia a escrever peças. [N.E.]

Na ficção, houve muitos casos de plágio e falsas identidades, assim como nas ciências exatas, porque são trabalhos realizados em ambientes reclusos, isolados. Mas nunca podemos perder de vista a natureza coletiva do teatro. As pessoas de teatro sempre referem-se a si mesmas como uma família. Numa família, todos os segredos e mentiras são conhecidos de todos.

Havia atores-mirins – com o olhar afiado e sem papas na língua prontos a disparar sua acidez contra os espetáculos dos adultos. Não teriam sido eles os primeiros a caçoar, a empreender paródias irresistíveis de seus patrões, os quais dirigiam os espetáculos e tinham a pretensão de ser poetas? E teria algum dos companheiros de Shakespeare podido resistir à tentação de pôr um desses temas tão picantes em alguma de suas peças?

Jean Genet me disse numa ocasião: "Escritores são criaturas muito ciumentas. Quando alguém obtém um grande sucesso, é reconfortante ficar sabendo que não foi ele que escreveu a peça, mas seu primo; e quando isso é realmente provado, então, obviamente, a inveja recai sobre o primo".

Nem Granville Barker, nem Henry Irving, nem John Gielgud, nem Laurence Olivier jamais sentiram que o autor dramático que conheceram de maneira tão íntima pudesse ter sido um impostor.

Parece que existem cerca de setenta pretendentes ao trono de Shakespeare. Há até mesmo uma mulher, uma senhora judia-espanhola, de quem se diz ter sido "A sombria senhora dos sonetos". Existem ainda rumores de que a rainha Elisabete teria escrito as peças com a ajuda de um filho ilegítimo, fruto de um relacionamento incestuoso! O defensor de cada um desses aspirantes trabalha exatamente como um advogado criminalista: começa com um caso que precisa vencer; então, na maioria das vezes, de modo brilhante, ele se serve de toda a sua erudição para convencer o júri, eliminando antecipadamente seus colegas opositores. E, na maioria dos casos, somos convencidos num piscar de olhos.

Até onde sei, passaram-se séculos sem que ninguém questionasse quem era o autor por detrás do nome Shakespeare. Até que um dia, no final do século XIX, uma senhora em Boston, que por um acaso se chamava Delia Bacon, acordou e decidiu que devia ter sido seu tio-trisavô que teria escrito as peças. Então a fábrica de impostores começou a funcionar. Nos períodos economicamente mais difíceis, essa indústria era como uma benção, pois distribuía empregos massivamente: cargos vitalícios para professores, adiantamentos de direitos autorais para aqueles que contestassem as últimas publicações, e uma dádiva para os próprios editores, com todo o seu cortejo de gráficas, copidesques, encadernadores, distribuidores e livreiros. Ah, é claro, havia os críticos que cresceram os olhos para esse nicho – assim como os banqueiros – pondo mais lenha na fogueira. Não deve ter sido por acaso que um dos primeiros antishakesperianos tivesse o abençoado nome de Thomas Looney[7].

Vamos imaginar as consequências hoje em dia se a senhora Delia Bacon tivesse vencido a contenda. Digamos que houvesse uma prova irrefutável de que Francis Bacon escrevera tudo, palavra por palavra. Então, de uma só vez, o local de nascimento passaria a ser

---

7 "Tomás Lunático", em tradução livre. [N.T.]

Saint Albans, e Stratford desmoronaria, assim como seus três teatros, seus bares e restaurantes. O Hotel Shakespeare e todos os outros hotéis sumiriam do mapa, juntamente com os ônibus turísticos e as lojinhas de suvenires.

Em Stratford, o conselho municipal declararia estado de calamidade pública. Alguém perguntaria se ainda daria tempo de eliminar o autor de *Toda a verdade sobre Bacon*. Sua casa poderia "pegar fogo" junto com todas as possíveis provas... "Boa ideia, não é mesmo, senhor chefe de polícia?".

Já em Saint Albans, o conselho municipal estaria em festa. Começaria a entrar dinheiro. Uma nova geração de atores, diretores e arquitetos começariam a debater os termos do novo Festival de Teatro. Bandeiras, banners, camisetas e broches seriam encomendados. A indústria Bacon começaria a florescer e o erudito que trouxe a boa nova seria nomeado cavaleiro. Isolada, a Marlowe Society[8] cairia no esquecimento.

Existem muitas perguntas sem resposta. Por que Shakespeare não ensinou sua filha a ler e a escrever? Por que não deixou sequer um manuscrito? Certamente há falhas e brechas em tudo aquilo que sabemos sobre Shakespeare, mas elas existem ainda mais em cada um dos aspirantes a Shakespeare.

Resumindo, o mistério nunca vai acabar. *Um verdadeiro enigma*: haveria melhor epitáfio para o autor de *Hamlet*? Certamente, cada um dos aspectos da história está cheio de contradições inexplicáveis. Jamais saberemos as respostas. Sempre surgirão novos

---

8 Sociedade de teatro da Universidade de Cambridge, fundada em 1907. [N.T.]

pretendentes e novos mistérios. No fim, sempre deverá prevalecer o bom senso.

Tudo leva a crer que Shakespeare foi um homem muito modesto. Ele não usa seus personagens para veicular seus pensamentos, suas ideias. Ele nunca nos impõe seu mundo no mundo que nos revela. Ibsen não hesitou em mostrar aquilo que sentia da sociedade em que vivia. Brecht escrevia com o objetivo de denunciar o que estava errado no mundo e como isso deveria ser mudado. Mas, novamente, Shakespeare foi único. Ele nunca julgava: ele nos deu uma infinidade de múltiplos pontos de vista, com suas próprias completudes de vida, deixando questões em aberto tanto para a humanidade quanto para a inteligência do espectador.

Shakespeare não precisava de ostentação, não precisou se impor e é por isso que não há sequer uma historieta jocosa para alimentar a avidez de alguns biógrafos. Ben Jonson, com todo o seu talento para a caricatura, pôde encontrar apenas um adjetivo para definir esse homem despretensioso: gentil. É apenas na intimidade dos *Sonetos* que ele fala de maneira pessoal, e até reconhece o valor eterno das palavras que saem da sua pena. Ele foi e sempre alguém capaz de colocar-se em segundo plano.

Podemos agora evocar a cena do coveiro em *Hamlet*. Talvez Shakespeare, o ator, seja o coveiro. A seus pés, ele observa seu próprio crânio. Toma-o nas mãos e, por um longo tempo, ironicamente perscruta o futuro; então murmura: "Ai de mim, pobre Yorick".

EU

LÁ

ESTAVA

DE COMO
MERCÚCIO ARRANCOU
GARGALHADAS

Não era fácil sair da Inglaterra logo após a guerra, sobretudo porque era preciso uma autorização especial para levar uma mínima quantidade em dinheiro vivo para a viagem mais simplória que fosse.

Eu acabara de terminar minha primeira produção, *Trabalhos de amor perdidos*, em Stratford, e preparava, na sequência, um *Romeu e Julieta*, montagem que eu pretendia fogosa e cheia de vigor juvenil. Naqueles tempos, havia uma ideia corrente no teatro inglês de que somente uma atriz madura, na casa dos 40 anos, podia se arriscar no papel de Julieta. Eu esperava quebrar aquela tradição selecionando dois atores muito jovens para o papel do casal trágico. Principalmente para tê-los falando o texto com seus próprios sentidos da verdade. Isso significava ficar livre das regras preestabelecidas da declamação.

Meu verdadeiro interesse era o de descobrir a atmosfera da peça; então minha primeira viagem foi a Tânger para sentir na pele o gosto da poeira e do calor tórrido de onde surgem as lutas e as paixões. Isso me trouxe uma revelação apaixonante: a história não pertence ao bem-educado mundo de Stratford, nem ao requintado repertório de West End[9].

Em seguida, novamente uma "primeira" viagem. Destino: Itália. Direto para Verona.

Apesar do charme de qualquer cidadezinha italiana, o que predominou foi o lado cômico. Talvez fosse mais justo dizer o "lado comercial". Quando eu era pequeno, fui levado a Lourdes. Guardo uma lembrança desagradável do quanto a jovem Santa Bernadette era explorada. Na estreita passagem que levava ao santuário,

---

9 Área nobre na região central de Londres onde estão localizados célebres teatros. [N.T.]

havia filas de lojas, uma se dizendo mais autêntica do que a outra e pretendendo ter sido "Fundada pela verdadeira família de Bernadette" ou "Somos descendentes diretos de Bernadette". Em Verona, ocorria algo muito parecido. Em cada esquina havia uma disputa explorando Romeu e Julieta. "Aqui é a residência dos Capuletos". "Era aqui onde a ama fazia as compras". "Bem-vindos à academia de esgrima onde os Montecchios aprenderam a usar suas espadas". "Conheçam o lugar exato onde Mercúcio morreu".

Numa bela casa lia-se um aviso: "Lugar onde Julieta nasceu". Entrei. Era hora do almoço. Eu estava sozinho e fui recebido por um elegante italiano de meia idade: meu guia. Tinha uma fala deslumbrante enquanto me mostrava cômodo por cômodo: a cama de Julieta, o quartinho onde a ama dormia, o balcão – o famoso balcão, o próprio, com uma esplêndida vista, de frente para a bela paisagem de Vêneto, situado na ala onde a família jantava. Finalmente, uma estreita escada de pedra que descia levando até o porão. E ali meu guia aponta seu dedo para uma grande laje de pedra, dizendo: "Foi ali onde transportaram o corpo de Julieta; foi através desta estreita abertura que Romeu entrou – você pode imaginar o triste espetáculo que o esperava... encontrar sua noiva morta. Foi ali onde ele a tomou nos braços". O guia então inclinou-se respeitosamente sobre a fria laje. "Temos aqui uma adaga, a verdadeira, e, depois de tê-la beijado... (o guia fazia os gestos da cena) e ter absorvido o veneno dos lábios dela, Romeu deu fim à própria vida".

Era uma representação muito boa, e estava claro que ele repetia aquilo diariamente. Então ele me conduziu para cima e chegamos até a porta de entrada. Eu estava tão impressionado com seu talento, sua boa formação, que não pude resistir: "Me diga uma coisa, você, que é uma pessoa tão bem preparada, como consegue, dia após dia, contar essas histórias como se acreditasse nelas, sabendo que elas não têm absolutamente nada de verdadeiro? Na Inglaterra, todos nós sabemos que Romeu e Julieta jamais existiram".

Por um momento ele emudeceu. Então, com uma distinta cortesia, me respondeu: "Sim, realmente é verdade. E aqui em Verona todos nós sabemos que Shakespeare jamais existiu".

Despedimo-nos amigavelmente e, quando saí para o barulho das ruas, elas pareciam estar ainda mais cheias de gente. Um pôster chamou minha a atenção e logo entendi o porquê: naquela noite, no anfiteatro, a céu aberto, haveria a primeiríssima apresentação em Verona de *Romeu e Julieta*. A cidade havia vivido, crescido e amplamente se beneficiado de uma peça que ninguém jamais havia visto. Seria um evento extraordinário. Não podia acreditar na minha sorte. Eu tinha de estar lá. Então entrei numa fila interminável, que se tornava cada vez mais barulhenta à medida que avançava. Consegui uma das últimas entradas e fui parar num imenso anfiteatro, diante do mais longo palco que eu jamais havia visto. Um espetáculo grandioso.

Na Inglaterra, estávamos apenas começando a nos revoltar contra a crença do século XIX, de que a poesia era uma linguagem cheia de charme e formosura, que devia ser cantada num cenário pré-rafaelita. Nessa atmosfera de lojinhas de suvenir e penduricalhos soube antecipadamente quais eram as expectativas do público: *Romeu e Julieta* seria uma história agradável, como um Rossini sem música, na qual famílias de bem poderiam levar seus filhos.

Orquestra afinada, uma pequena abertura e começa a peça. Convencionais atores italianos entram trajando figurinos de época, treinados no antiquado maneirismo de Stratford. O público parecia extasiado. Fiquei imaginando como o humor atrevido que perpassa todas as peças de Shakespeare se encaixaria naquele público. Eu tinha certeza de que a fala de Mercúcio – *The bawdy hand of the clock is on the prick of noon*[10] – não seria devidamente compreendida pelo tradutor que teria optado, em seu lugar, por uma fala que se adequasse ao melhor dos mundos. Mas não acreditei no que ouvi quando Mercúcio diz a Romeu: *O that she was an open--arse and you a poperin pear*[11].

Essa frase foi fielmente traduzida. O público ficou sem ar. Mais de mil pessoas perderam o fôlego. Será que entenderam direito? Poderia um humor tão obsceno ter saído da pena daquele grandioso poeta romântico? Primeira reação: aquilo não podia ser autêntico, não na Verona de Shakespeare. Então houve uma explosão de riso; eu nunca havia presenciado gargalhadas tão fartas. Assim, Shakespeare tornou-se um ser humano. O poeta não estava mais num pedestal. Todos

---

10 "Nada menos do que isso, pois o safado ponteiro do Sol está neste momento cobrindo a marca do meio-dia". William Shakespeare, *Romeu e Julieta*, trad. Barbara Heliodora (Rio de Janeiro: Nova Fronteira, 2011), p. 57. [N.T.]

11 "Ai, Romeu, ai! Se ao menos ela fosse uma ameixeira, e você pera pontuda!". William Shakespeare, *Romeu e Julieta*, trad. Barbara Heliodora (Rio de Janeiro: Nova Fronteira, 2011), p. 43. A tradução de Barbara Heliodora não contempla o aspecto vulgar do texto original, em que "open-arse" poderia ser traduzido como "traseiro aberto". [N.T.]

relaxaram, prontos para saborear toda a sinuosidade da peça de modo completamente diferente.

A lenda Shakespeare havia tornado a cidade próspera, mas o homem de carne e osso agora pertencia à cidade.

Retornei à Inglaterra. A jornada terminara, e o trabalho prático com *Romeu e Julieta* havia começado. Eu tinha dois colaboradores excepcionais: Rolf Gérard, que se tornou um amigo muito próximo e foi meu cenógrafo por muitos anos; e um extraordinário compositor suíço-catalão, Roberto Gerhard, que havia debutado brilhantemente com uma versão orquestral para rádio de *Dom Quixote*. Ambos sentiram instantaneamente o calor e a paixão contidos na peça. O cenário, que pouco a pouco ia surgindo, não ia além de um tapete laranja ardente, evocando uma arena de touradas.

Juntamente com um instrutor muito dinâmico, mergulhamos nos ensaios com nosso jovem elenco, que se deleitava em começar o dia de trabalho experimentando combates perigosos com os floretes. Erramos e aprendemos muito; e quando chegou a noite da estreia, o público de Stratford viu se desenrolar, diante dos seus olhos, uma peça num flamejante palco laranja. O público, ao contrário do de Verona, ficou consternado, constrangido. Fui acusado de ter destruído a poesia da peça e não fui convidado para outras montagens por muitos anos.

Poucos dias depois da estreia, o teatro havia organizado uma sessão de bate-papo com elenco e diretor. Quando cheguei nos bastidores, encontrei o gerente de palco ansiosíssimo: "Preciso avisá-lo... a situação não está boa para você. É bom se preparar para o pior". Entrei na arena. O bom e fiel público de Stratford estava todo lá. Um longo silêncio foi quebrado por uma senhora que, se levantando, tremia de indignação.

"Gostaria que o senhor Peter Brook nos explicasse por que, na estreia de *Romeu e Julieta* no Memorial Theatre, não havia luz... na chapelaria feminina!?".

Houve uma gargalhada geral, mas a atmosfera estava tensa, e é claro que a imprensa zombava, faminta. No entanto, eu apenas começava a perceber que, de um lado, os elogios podem ser temporariamente reconfortantes, e que, de outro lado, as críticas realmente válidas são aquelas vindas de um julgamento inteligente e imparcial. Elas nos fazem pensar.

Apesar da decepção inevitável, aos poucos pude ver as falhas daquele *Romeu e Julieta*. Havia uma abundância de fogo, cores e energia, convincente apenas para uma minoria de entusiastas. Mas o que faltava, no geral, era um ritmo contínuo, uma pulsação imperiosa que ligasse uma cena à outra. Eu ainda não havia aprendido que essa era a base de todo o teatro elisabetano, e foi aí que se iniciou um longo período de descobertas. O teatro da minha época, cuja base eram as peças bem-acabadas do West End, com seus dois intervalos, havia perdido há muito tempo contato com o implacável ritmo elisabetano: cada cena tinha de ser uma espécie de degrau para a próxima, sem deixar o público escapar – não havia pausas ou cortes marcados pelo abrir e fechar de cortinas; nada de mudanças de cenários. E isso não só pedia um movimento constante, mas também contrastes, mudanças inesperadas de ritmo, de tons, de níveis de intensidade. Nesta adaptação eu havia trabalhado cena por cena, cada uma com seu começo, meio e fim.

A grande revelação veio mais tarde, trabalhando com ópera. Com música, percebi que uma série de notas é um mundo de infinitos e minúsculos detalhes, que só existem porque fazem parte de uma frase. E uma frase, por sua vez, é inseparável de um movimento que se dirige sempre adiante. Como num discurso, uma frase é um pensamento que prepara e leva ao pensamento seguinte. É de um tédio insuportável ouvir a repetição de uma frase muito tempo depois de já termos entendido seu sentido. Uma peça de Shakespeare tem de ser encenada como uma grande frase sinuosa, sem jamais realmente terminar antes do fim.

Quando, depois de ter trabalhado com ópera por dois anos, retornei a Stratford para dirigir *Medida por medida*, descobri que a imersão na música havia me despertado para uma nova atenção em relação ao andamento e ao fraseado.

Um velho clichê sobre Shakespeare sugere que ele teria sido um grande roteirista de cinema. Na verdade, quando um filme é inserido num projetor (usando aqui uma linguagem totalmente em desuso nos dias de hoje), e as bobinas começam a girar, há um movimento, e é isto o que mantém o interesse do espectador, algo que tem de ser sustentado até o fim da última tomada. Isso se aplica a todos os gêneros de filme: arte, suspense, faroeste. Não é à toa que são chamados *movies*, redução de *moving picture*, quadro em movimento. E é isto o que nos leva à necessidade de nos libertarmos da natural paralisia do cenário que, no passado, parecia tão necessário.

Só fui chamado de volta a Stratford quando os dirigentes mudaram, muitas temporadas mais tarde. Esse exílio, sem sombra de dúvida, foi um lance de sorte, pois minha abordagem teatral foi completamente transformada após tantas experiências.

ASSADO

TORTA

NAQUELA

COZINHANDO
TITO ANDRÔNICO
EM
BANHO-MARIA

Quando, no início, o cubismo foi acolhido com vaias de incompreensão, Gertrude Stein observou este fato como um exemplo claro do quanto cada século continua a olhar o presente com olhos do passado. Nos dias de hoje, podemos começar a reconhecer de que modo os séculos passados influenciaram nossa atitude perante Shakespeare.

Quando trabalhei em Stratford pela primeira vez, era sempre o mesmo punhado de peças que se repetiam a cada temporada. As outras eram menos populares pois eram consideradas de interesse menor.

Os espectadores de classe média ainda eram vitorianos e, naturalmente, viam as peças do mesmo jeito que os pintores românticos haviam-lhes mostrado. Minha primeira produção, *Trabalhos de amor perdidos*, também havia sido influenciada pelo pós-guerra, num período de quatro anos em que havíamos lutado contra uma espécie de paralisia e austeridade. Desejávamos charme e elegância, e eu não podia encontrá-los nos inexoráveis figurinos elisabetanos, que, para mim, eram insípidos e convencionais. Então, descobri aquilo que T. S. Eliot chamava de "correlação objetiva", no gosto que eu então nutria pelo pintor francês do século XVIII, Watteau. Consegui impô-lo a um cenógrafo relutante, de modo que o cenário trazia o frescor e o charme que de maneira nenhuma violavam aquilo que o público esperava de uma comédia cheia de graça e leveza. Mas o que me intrigava em Watteau era que, afora seu cavalheirismo elegante, os alaudistas e a leve melancolia dos arlequins, havia uma perturbadora figura misteriosa num dos lados, olhando os festejos. Aquilo era tanto um enigma quanto uma pista. Um dia, a mensagem ficou clara. No final de *Trabalhos de amor perdidos*, a festança é repentinamente interrompida por um mensageiro que traz, para a princesa, a notícia da morte do seu pai. Em todas as montagens da minha época, isso era considerado como uma convenção adequada para a preparação do fim da peça. Mas isso parecia subestimar a intuição do jovem Shakespeare segundo a qual a leveza precisa da sombra da escuridão para parecer real. Assim, quando todos os mal-entendidos da história finalmente parecem encontrar o mais alegre desfecho, uma nuvem negra aponta no horizonte. Finda a esbórnia, a princesa e sua corte tem de partir, sem a menor chance de continuidade para os casos de amor que ali estavam surgindo, pois agora será preciso guardar um ano de luto. As derradeiras canções são tingidas de melancolia, expressam o verão que já vai dando lugar ao inverno, e a peça termina em suspensão, com uma frase perturbadora: "Vocês, por ali; nós, por aqui". É possível sentir aqui um "cheiro" de *Noite de reis* chegando. A partir daí, podemos seguir uma linha reta até o momento em que, em *Medida por medida*, Isabel tem todos os motivos para se vingar do suposto assassino do seu irmão. A cidade sórdida onde se passa a ação não parece sugerir qualquer misericórdia. Isabel busca profundamente na escuridão do seu coração; como se prenunciasse Dostoiévski, ela cai de joelhos para pedir clemência. Imediatamente, a peça se inunda de luz.

Quando trabalhei no *Conto de inverno*, a mesma qualidade gradualmente aparecia numa sequência diferente. A peça está claramente dividida em três partes. Primeiro, um sombrio melodrama que beira a tragédia. Depois, muda radicalmente para a inocência radiosa de uma pastoral. E, algo inesperado para uma terceira parte, cai na nebulosa penitência e desolação de Leontes, condenado a viver com a estátua de sua falecida esposa: eterna lembrança da loucura que ele cometeu. Crime, sim, e punição, mas está claro que Shakespeare não iria parar por aí. Leontes vê sua filha, perdida há muito tempo, entrar em seu palácio lado a lado com o filho do seu inimigo. Estranhamente, eles parecem fazer pouco caso da morte de sua esposa e desconsiderar seu suposto amante. Por um momento, o tempo para. A Leontes é dada mais uma chance. Sem hesitar, ele a aproveita e, numa das mais profundas e surpreendentes invenções cênicas de Shakespeare, a estátua ganha vida, e o fim da peça irradia perdão e amor.

Outra peça negligenciada, *Timon de Atenas*, na minha época era comumente tratada como um rascunho, um *Rei Lear* dos pobres. Assim, Timon era visto como um afetuoso velho conservador, levando uma vida de cachorro, não exatamente por causa das filhas, mas devido a seus credores gananciosos. Não é de surpreender que a peça tenha sido raramente encenada, tendo poucos atrativos para atores, diretores ou espectadores.

Até que um dia assisti a uma montagem que foi um verdadeiro divisor de águas. Era representada por Paul Scofield, que fazia um Timon jovem e bem-sucedido, no topo da carreira. Anos mais tarde, quando eu procurava uma peça de Shakespeare para a inauguração do nosso recém-aberto Bouffes du Nord em Paris – com *Romeu e Julieta* sugerida como uma opção natural –, aquele Timon me veio à mente. No nosso primeiro grupo do Centro Internacional de Pesquisas Teatrais, que acabara de chegar de uma jornada africana, havia um ator espirituoso, dinâmico e atraente – François Marthouret. Com ele, a peça foi instantaneamente acolhida pelo público parisiense. Havia ali tamanho impacto e frescor, que nenhum dos velhos atores conhecidos e preferidos poderia ter trazido. A maneira de lidar com negócios e sucesso no século XIX passava ali a ser questionada. A isca para fazer dinheiro, o assédio de parceiros e produtores associados, a fragilidade das amizades... tudo passou a fazer parte da ordem do dia, tudo passou a ser real. Não havia necessidade de telefones celulares, nem de gente engravatada. Foi exatamente por isso que Jan Kott deu a seu livro o título *Shakespeare, nosso contemporâneo*. Tratava-se de uma peça para os dias de hoje.

Mas a atitude vitoriana estava mais profundamente arraigada do que podíamos imaginar. Existiam limites morais, e havia uma peça que estava absolutamente fora de questão: *Tito Andrônico*.

Sem chance. Se essa peça fosse, realmente, do Bardo, o único serviço que podia ser prestado em seu favor seria o de assegurar-se de que tamanha indecente coleção de horrores jamais seria vista pelo público, sobretudo em sua cidade natal.

Tito vinha espreitando-me o subconsciente desde meus tempos de estudante. À medida que o mundo da arte estava cada vez mais consciente da força e da beleza daquilo que levava (com certa condescendência) o selo de "arte primitiva", o aspecto bárbaro da ferocidade romana ganhava em esplendor. Não estaria ali, eu me perguntava, por detrás de uma tipicamente elisabetana peça de terror, algo que repousasse, ainda inexplorado, no mais profundo subconsciente de Shakespeare? Não seria ele – assim como Picasso e o muito admirado escultor inglês Jacob Epstein – dotado de uma imaginação alimentada por imagens arcaicas profundamente enterradas no velho limbo? Na Inglaterra normanda, as raízes saxônicas nunca haviam sido completamente esquecidas. O gosto romano pelos esportes sangrentos, por gladiadores, lutas com leões, não podia ter destruído sua verdadeira trágica herança grega: Electra, Medeia e todos os terríveis atos de catarse que sublimavam o terror. Senti que *Tito* poderia adquirir nova força se fosse possível descobrir um ritual oculto de ferocidade presente nas mitologias islandesas e saxônicas. Na verdade, podemos até notar elementos quase idênticos na cultura dos povos astecas. Sob um sol impiedoso, corações que ainda batiam eram arrancados com facas de obsidiana. Se pudéssemos nos conectar com tais tradições, uma nova beleza bárbara poderia emergir, a qual daria a *Tito* uma nobreza selvagem.

Estava claro que a peça aguardava pacientemente o momento certo para sair do ostracismo. E quando chegou a hora, todos os elementos necessários se reuniram.

Glen Byam Shaw, diretor da Royal Shakespeare Company, estava montando uma temporada com Laurence Olivier e Vivien Leigh. Então não teve a menor dificuldade em formar uma companhia com os melhores atores ingleses da época. Ele me perguntou se eu estava interessado em dirigir uma peça: "O que você acha de *Tito*?". Minha reação foi instantânea: "Sim!".

Eu não estava em bons termos com Laurence Olivier por causa de umas discussões durante as filmagens de *Ao pé do cadafalso*, porém, graças à inteligência de sua esposa, Vivien Leigh, nós nos reconciliamos. Uma das grandes qualidades de Laurence Olivier era a de emprestar uma realidade muito detalhada para personagens que facilmente poderiam tornar-se estereotipados ou demasiadamente abstratos. Ela havia triunfalmente utilizado seu carisma e *sex appeal* transformando um *Ricardo III*, que era um prato cheio para a canastrice, num sedutor, brilhante e, por isso mesmo, perigoso déspota. Do mesmo jeito, ele havia trazido uma presença inesquecível para pequenos papéis comuns – o juiz Shallow em *Henrique IV* e o fundidor de botões em *Peer Gynt*[12]. Ele sempre começava um novo papel fazendo experimentações para tentar encontrar uma voz diferente e, frequentemente, um novo nariz. Ele mergulhou no aparentemente convencional papel do vingativo Tito para, em pouquíssimo tempo, revelar um homem de carne e osso. Mas, acima de tudo, foi Vivien Leigh que trouxe uma qualidade que ninguém mais poderia ter trazido para Lavínia, encontrando poesia e beleza para suas desventuras. Então Lavínia, tendo sido violentada, tendo suas mãos decepadas – imagem que foi construída cenicamente com uma simples fita vermelha caindo-lhe dos dedos até o chão – transformou uma cena, que caberia muito bem num dramalhão, num perturbador momento de beleza. Era como se o talento e a graça de Vivien pudessem transformar a peça, assim como faz o teatro japonês, que transforma apavorantes atos de crueldade em lendas kabuki.

Para os outros papéis, tínhamos atores notáveis que Glen Byam Shaw havia reunido. Aarão não era apenas um crápula sombrio, essa figura já bem batida do repertório elisabetano. Obviamente, naquela época, a possibilidade de ter um ator negro para representar um personagem mouro não passava pela cabeça de ninguém. Havia, sim, um negro norte-americano, Paul Robeson, que havia atuado como Otelo... e só.

---

12 Peça de Henrik Ibsen, publicada em 1867. [N.T.]

Africanos e negros norte-americanos eram considerados úteis somente para tocar jazz, cantar e dançar. Anthony Quayle abordou o papel com humanidade e respeito. A ternura que havia no relacionamento entre ele e seu bebê negro era inesquecível. Do mesmo modo, Maxine Audley conseguiu descobrir profundezas insuspeitáveis na feroz rainha dos godos.

Naquele tempo, para mim, uma peça não poderia existir sem imagens no palco. Parecia-me vital desenvolver uma metáfora cenográfica que, abertas as cortinas, pudesse levar-nos para um mundo desconhecido. Eu já tivera a compensadora experiência de trabalhar com cenógrafos muito talentosos e imaginativos. E também já havia entendido que a evolução dos padrões cênicos – o que, para mim, foi um longo processo de tentativa e erro – era sempre bloqueada pela lentidão com a qual muitos cenógrafos encontravam suas soluções. Isso acabava produzindo imagens cristalizadas e que, pior do que tudo, eles achavam ser totalmente convincentes. Resultado: mais tarde, ao longo do processo, chegava a hora em que elas não estavam mais em harmonia com as novas formas que haviam surgido nos ensaios, trazidas pelo trabalho dos atores. A descoberta veio em Stratford quando encontrei uma nova maneira de trabalhar que permaneceu por muitos anos. O chefe da cenotécnica e o chefe de figurino eram dois homens muito sensíveis e competentes. Descobri que podia trabalhar com eles. Para *Tito*, grandes colunas pretas e douradas foram construídas com simples, mas incríveis, mecanismos que deixaram o maquinista felicíssimo por tê-los inventado. Elas abriam-se em diferentes níveis para revelar ou aposentos vermelho-sangue ou florestas impenetráveis. Graças à ingenuidade do carpinteiro, o corpo das colunas clássicas podia balançar, sugerindo árvores sinistras.

O som tinha de ser algo inseparável do que a imagem evocasse. Isso ocorria no momento em que as músicas tonal e atonal estavam abrindo caminho àquilo que precederia o advento da música eletrônica – era chamada de "música concreta"; assim, fui visitar seu pioneiro, Pierre Henry, no seu estúdio em Paris. As técnicas pareciam acessíveis: a partir de uma larga faixa gravada, era possível modelá-la à vontade alterando-se velocidade e altura, mixando e combinando aí outras pistas, temperando o restante a gosto. Fiz experimentos, pondo um microfone muitíssimo simples dentro do nosso piano, percutindo as cordas no suporte de ferro e usando o pedal como instrumento de percussão, de modo a despertar todos os sons escondidos do piano. Quando adicionávamos um simples ritmo, isso soava como uma marcha de tempos antigos e proporcionava a Laurence Olivier uma entrada das mais graves e impressionantes. Ninguém percebia que as três notas haviam sido tiradas da música do clássico desenho infantil *Os três mosqueteiros cegos*.

Para Olivier, um novo papel sempre era especial, e ele me confidenciou qual era sua ambição secreta. Era na cena final, quando Tito tivesse consumado sua vingança pelo estupro de Lavínia esquartejando os filhos da rainha dos godos, fazendo-os em pedacinhos e os assando numa bela torta. O clímax da peça se dá quando a rainha pergunta onde estão seus filhos, e Tito responde: "Ali... naquela torta". Talvez, de todas as peças rudemente melodramáticas, essa passagem tenha feito com que *Tito* fosse, por muito tempo, considerada grotesca demais para ser encenada.

Olivier assumiu esse como um dos maiores desafios. Ele sabia que, na noite de estreia, o público de Stratford estaria lá para rir daquela peça ridícula que estávamos tirando do ostracismo. Seria o momento definitivo da zombaria. Por meio da intensidade de sua concentração e da tensão de sua fala ele já arrebatou o público na estreia. Conseguiu transformar tudo isso num inquietante momento de verdade. Assim, saboreando o perigo e o chamado para o inacreditável, ele repetia sua performance diante das muitas plateias em todos os países onde levamos a peça – porque fizemos uma longa turnê continental.

Começamos em Paris, onde o casal Olivier era a vedete. Mas, conforme cruzamos a Europa com destino a Belgrado e a Veneza, uma grande tragédia começou a se levantar por trás dos sinistros episódios da peça. A saúde mental de Vivien Leigh se deteriorava incessantemente. Começou depois de ter visto a si mesma no filme de Elia Kazan *Uma rua chamada pecado*. Karl Malden a agarrava pelo pescoço, empurrava-a até um espelho ameaçando enfiar-lhe na cara um caco de lâmpada quebrada. Ela era considerada uma das mulheres mais bonitas do mundo. O choque de ter visto a si própria, sua verdadeira idade impiedosamente revelada, foi demais para ela. Seus tremores ficaram escondidos durante os ensaios e disfarçados na agitação da estreia. Ela sabia que sua graça e beleza eram essenciais para que o público descobrisse a peça.

E, na sequência, conforme a turnê prosseguia, foi tomada por uma montanha-russa diária maníaco-depressiva. Ela se metia em tudo quanto era loja de antiguidades e, para desespero de Larry, caixas cada vez maiores, até mesmo engradados, amontoavam-se em cada quarto de hotel por onde passavam. Quando chegamos em Viena, desesperada, ela me pediu ajuda. Disse-lhe firmemente: "Você precisa consultar um especialista". Para minha surpresa, ela reagiu calmamente: "Eu tenho resistido a isso. Mas agora é diferente. Tenho um velho amigo que trabalha aqui. Ele é especialista. Se você puder encontrá-lo, prometo que vou ouvir tudo o que ele tem para me dizer".

Não foi tão fácil assim. Não havia ninguém com aquele nome na lista telefônica de Viena; os nomes das pessoas eram repertoriados por profissão. Finalmente, encontramos alguém numa longínqua periferia; aparecia identificado como escritor e tradutor. Hesitante, mostrei aquele nome para Vivien, no que ela reagiu: "Sim! É ele!". Então observei que não se tratava bem de um especialista para aquele caso. Ela deu uma risadinha charmosa: "Ah, peguei você! Você tinha dito *um especialista*. Mas não disse *qual* especialista. Ele é um especialista... em filosofia. Adoraria vê-lo novamente!". E se esborrachou de rir.

Depois disso, as tensões cotidianas se igualaram e superaram as da peça. Na Iugoslávia, nos deram um guia corpulento, musculoso, chamado Boris, cujo trabalho era o de nos acompanhar em todos os lugares. Vivien imediatamente o adotou como seu empregado e sempre sumia com ele depois das apresentações. Ela insistiu para ser levada a uma taverna clandestina na estrada principal, e ali passava noites inteiras bebendo e se esbaldando com os motoristas de caminhão. Quando chegava a conta, ela pegava a notinha e a levantava tremulando: "Boris! Você paga!". E ele o fazia calmamente. Evidentemente era a polícia secreta que pagava.

Sua atuação tornou-se sofrível. Fomos a Varsóvia onde havia correspondentes dos jornais ingleses, e nossa tarefa diária passou a ser a de prestar atenção para que nenhum rumor caísse nas mãos da imprensa. Mas quando aterrissamos em Londres, uma ambulância a aguardava no aeroporto. E a turnê ocorreu sem nenhum escândalo.

Na Inglaterra, França e Itália a peça foi bem acolhida e apreciada como uma bela experiência teatral. De modo algum a montagem sugeriu aos habituados e sofisticados espectadores que aquele texto pudesse encontrar paralelo no mundo real. Em Belgrado, o terror fazia parte do dia a dia. Pouco antes de chegarmos, um homem interrogado pela polícia havia sido lançado pela janela do sexto andar de um prédio comercial. Num lance genial de reflexo, ele conseguiu se segurar numa borda da fachada. Porém um dos policiais puxou uma faca e decepou-lhe as mãos. O homem caiu, gritando, e morreu.

Hoje em dia, um fato como esse é lugar-comum. É o que vemos em peças de teatro e em filmes. Mas, ao contrário de Shakespeare, nós nos tornamos incapazes de reconhecer, ao mesmo tempo, outra realidade – a riqueza e a magia da vida. Vivien podia sentir isso. Quando ela levantava no ar seus cepos mutilados, o fôlego entrecortado do público transcendia o terror.

Uma vez que não somos mais vitorianos pacíficos, *Tito* hoje em dia encontra seu lugar natural no cânone shakespeariano. Trata-se de uma peça como muitas outras contemporâneas e como tantos outros filmes. Mas com uma diferença: o jovem autor dramático também se servia de temas populares e violentos de sua época. Acontece que ele já era Shakespeare, um poeta;

ele não poderia falhar em transcender, em ir além da superfície, em atingir um tal sentimento de terror capaz de nos espantar ainda hoje e até de nos encantar.

Um produtor hollywoodiano, Sam Spiegel, ficou muito tocado com a montagem. Ele me ofereceu a chance de filmar a peça, em dez dias, ao vivo. Isso me deixou bem animado, pois o orçamento previa a possibilidade de usar a tela panorâmica Cinemascope – que estava começando a entrar na moda –, de modo que eu poderia fazer uma versão que, em vez de simplesmente copiar o que se passava no palco, fosse como um afresco épico. Contudo, houve um impedimento totalmente inesperado: Laurence Olivier recusou. Argumentou que seu próximo projeto era dirigir uma versão cinematográfica de *Macbeth* com ele próprio no papel principal e Vivien como Lady Macbeth. Ele queria fazer isso como um filme de verdade, com tomadas longas e orçamento generoso. Ele já havia feito o mesmo com *Ricardo III* e *Hamlet*. "Se você mostrar que é possível fazer um filme shakespeariano em três semanas e barato... estou acabado!". Uma vez mais nosso relacionamento azedou, e depois que o projeto *Tito* foi encerrado, a maldição da "peça escocesa" caiu sobre Olivier[13].

Mesmo estando no topo da carreira como uma estrela consagrada, tanto no cinema quanto no teatro, Laurence Olivier simplesmente não conseguiu o financiamento de que necessitava; e seu projeto também foi por água abaixo.

---

13 Reza a lenda que todos aqueles que tentam atuar, montar ou dirigir *Macbeth* acabam se tornando vítimas de uma série de acidentes. [N.T.]

Hoje em dia, sinto que nosso *Tito* pertenceu a seu tempo e deve, por isso, permanecer somente como uma memória. A peça deve ser montada e novamente ganhar vida com um olhar atual. Com um olhar do passado, mas revigoradas por um sentido de realidade presente, as peças nos mostram novas formas, novos relevos, os precipícios, novas luzes e sombras; e acabamos nos surpreendendo com o fato de não os termos percebido antes.

As peças de Shakespeare são como planetas que, em seus movimentos sem fim, aproximam-se de nós para depois se afastarem, girando, de volta às suas órbitas.

QUEM SUSTENTA A BALANÇA?

**OU MEDIDA,
AINDA,
POR MEDIDA**

Em *Medida por medida*, Shakespeare claramente estabelece ligações entre a elevação do céu e a sordidez da lama. Ele recusa a dicotomia costumeira. O excremento tem seu lugar, serve para fertilizar o solo no qual plantas incríveis podem crescer. E, do céu, vem a chuva. Nessa peça, existem dois mundos: um refinado, o do palácio, e outro imundo, o dos bordéis, das prisões e das ruas. O gatilho de todas as ações é a intuição do duque de que ele não tem consciência real da vida, não tem uma verdadeira compreensão das coisas, portanto é incapaz de cumprir seu papel de duque. Mas o que é a ordem e a autoridade sem injustiça? A peça imediatamente evoca essas questões. O duque, cujo nome, Vicêncio, assim como Ângelo, contém uma referência medieval ao divino, involuntariamente põe em movimento um mecanismo no qual ele, Isabel e Ângelo têm de confrontar e se desenredar de suas mais profundas contradições. Na minha primeira montagem em Stratford, depois de *Romeu e Julieta* ter me jogado no exílio, o primeiro passo a ser dado era trabalhar uma abordagem que fosse visual. Como encontrar um universo no qual essa história pudesse se desenrolar de modo convincente? Era em Brueghel e em Bosch onde pareciam estar as respostas.

Bosch é o deleite definitivo em termos de barbaridade, imundície e vulgaridade. Em Brueghel, tensões e dores medievais são filtradas por um olhar de esperança e significação. Evitando ser literal, descobrimos formas arquitetônicas simples que podiam conter, no mesmo universo, tanto o duque quanto os prisioneiros. O objetivo era deixar as ações fluidas, sem quebras entre as cenas; apenas imagens que podiam se dissolver, ora aqui, ora ali, sem comprometer a continuidade. Acima de tudo, em Stratford, eu estava trabalhando pela primeira vez com John Gielgud. Ele atuou corajosamente em seu primeiro papel medieval, sem peruca, apenas com sua própria cabeça calva. E um excelente ator, Harry Andrews, como duque disfarçado de monge, era como uma silhueta branca atravessando a escuridão.

A personagem-chave da história é Isabel. A primeira cena – quando a vemos num convento como uma jovem noviça – não pode ser ignorada. Ela fez um voto, um voto para os céus, com toda sua fé e integridade. Isso faz da perda da castidade algo impensável. Muitos anos mais tarde, no teatro Bouffes du Nord, utilizamos a peça num workshop com jovens das mais violentas periferias de Paris, todos muçulmanos. Contei-lhes a história e eles improvisaram-na, cena por cena. Quando chegaram na cena entre Isabel e seu irmão, Cláudio, condenado à morte por adultério, todos puderam compartilhar os dois lados do doloroso conflito entre o amor no seio da família e as leis religiosas. Isabel teria dado qualquer coisa por Cláudio, menos a sua castidade. Para muitas atrizes inglesas, isso exige encarar muitos volteios psicológicos e até certas inibições para que a cena se torne real. Para aqueles espectadores islâmicos, a situação era evidente. Mas quando seu irmão Cláudio não aceita tal punição – pois terá de pagar com a própria vida –, todos tomaram as suas dores e ficaram do lado dele. Então, repentinamente, em pura improvisação, o ator que estava fazendo Cláudio explodiu e gritou para: "Se eu tivesse de ser sodomizado por cinquenta homens para salvar a sua vida, você acha que eu pensaria duas vezes?". Um suspiro geral foi seguido de um grande silêncio. Aquelas pessoas nunca mais precisaram de que lhes explicassem o que é teatro.

Medida por medida faz jus ao título – é uma rica variedade de elementos que precisam constantemente ser postos na balança. Cada personagem, cada peripécia tem seu lugar, enquanto que nossa compaixão e compreensão pesam, ora para um lado, ora para outro. Respeitar e renovar essa balança, eis a tarefa de cada nova montagem dessa peça. Devemos ser conduzidos, passo a passo, até um dilema, de onde pareça não haver uma saída digna. O espantoso pedido de perdão de Isabel – em favor de seu irmão Cláudio – harmoniza-se com o próprio processo de autodescoberta do duque, que, deslocando o fiel da balança novamente, por um momento, restabelece o equilíbrio.

Se é um grande erro tentar justificar psicologicamente o voto de castidade de Isabel, igualmente não passa de uma modernização tosca considerar o duque como um manipulador inescrupuloso. Talvez seja difícil para nós atualmente aceitarmos a pureza das intenções, mas isso é fundamental nas explorações shakespearianas, que normalmente transcendem conflitos e contradições. Essa é uma chave sempre negligenciada com relação à fúria assassina de Otelo. Para Otelo, a mulher é o símbolo da pureza, da virgindade. E a pureza só a Deus pertence; de modo que trair a pureza é muito mais grave do que trair o marido, significa desonrar o sacramento. A natureza casta e pura da mulher manifesta-se exteriormente, no seu comportamento. Como em *Antônio e Cleópatra*, *Otelo* é um choque entre ideais orientais e ocidentais.

Numa das primeiras cenas, Desdêmona está cercada de amigos, rindo e conversando com um encanto e um charme social tipicamente ocidental. Para nós, isso é algo natural e atraente. Mas, aos olhos de um mouro, tal cena revela uma mulher contaminada por valores degradados. O terreno está perfeitamente preparado para Iago. Não é de surpreender que este tema fascinasse Shakespeare, pois irá retomá-lo em *Antônio e Cleópatra*. Enquanto Otelo é um homem que se encontra no auge de sua carreira militar, com poderes para matar – mas também para ser morto –, Antônio está no crepúsculo, decadente, e vai reencontrar a disposição e a juventude perdidas na jovem e fascinante egípcia. Em *Medida por medida*, o duque é mais forte do que Ângelo; não há disputa entre eles. Podemos notar o fio que, passando por tantos bons e maus duques, nos leva até Próspero. Porém, no caminho, descobrimos o único caso em que todas essas facetas humanas, de força e fraqueza, encontram-se em apenas um personagem: Lear.

TANTO

NEM

VIVEREMOS

SOBRE
REI LEAR

A palavra *rei* significa "aquele que tem a última palavra", o déspota absoluto. É intoxicante ter tamanho poder, e isso pode criar problemas profundos e desconhecidos. Em tempos antigos, como nos conta a história, um rei idoso costumava sentar-se todas as noites em seu jardim, sabendo que, cedo ou tarde, um jovem destruiria todas as defesas e pularia o muro. O rei se preparava para a batalha final constantemente; caso ele morresse, um estranho assumiria o poder.

Nos dias de hoje, temos visto quão doloroso é para um ditador aceitar que o fim está próximo. Uma longa série de líderes contraíram doenças terminais por conta do estresse: uns por causa das tensões do dia a dia, outros porque ficaram vigiando o muro para que o estranho não aparecesse. Quando descobrem que foram acometidos por alguma doença incurável, eles começam, primeiro, a procurar explicações nos livros para, depois, buscar nos amplos círculos dos conselheiros presidenciais, o sentido deste fenômeno inaceitável que não conseguem dominar: a morte.

Como diz um velho ditado: "O orgulho precede a queda". Lear, no começo, tem muito do que se orgulhar: está no topo, no auge da sua forma. É um erro muito infeliz para atores e diretores mostrar Lear na primeira cena como um homem debilitado e já senil. Até mesmo Laurence Olivier foi pego por essa armadilha; em suas próprias palavras: "Para desistir de seu reino, só mesmo um velho besta e peidorreiro!". Resultado: a primeira entrada de Lear representado por Olivier em cena sempre foi altamente cômica – com seus guardas em posição de sentido, o rei ia passando-os em revista, enquanto se dirigia ao trono e, vez ou outra, fazia uma pausa diante de um ou de outro, dando-lhe cutucadas nas costelas, com um risinho sarcástico. Evidentemente, isso fazia o público inesperadamente rir, e se pagava caro por isso. O personagem não sabia mais para onde ir por todo o restante dessa longa peça; adeus, tragédia! E só o estupendo bobo feito por Alec Guinness para salvar a apresentação. Guinness tinha um desenxabido rosto pálido, verdadeira máscara neutra. Quando ele simplesmente se sentava e dizia "Vou me deitar à meia-noite" e morria, víamos que não havia mais nada por dentro – apenas a casca do ovo. Só isso já valia o ingresso.

Na verdade, basta ouvirmos as primeiras falas de Lear para constatar que ele está totalmente lúcido. A decisão em dividir seu reino foi uma resolução prática de um homem obstinado, que conheceu todas as agruras da vida. Ele reconhece que chegou a sua hora, e avisa que seu propósito inicial é que "o conflito que está por vir seja evitado agora". Esse é o testamento de um monarca astuto. Ele conhece muitíssimo bem a ambição e as facções que estão cozinhando em fogo baixo no caldeirão da sua corte, aguardando a sua morte. Igualmente, com a mesma sagacidade, ele se dá conta de que uma divisão em duas partes é sempre geradora de conflitos. Uma divisão em três produz um equilíbrio natural de forças.

Quantas vezes não vemos Goneril e Regane serem reduzidas a caricaturas de histórias em quadrinhos, como duas irmãs furtivas e diabólicas? Estamos realmente certos de que elas não sentem orgulho do próprio pai naquele grande dia? Quando são chamadas para, publicamente, declarar sua devoção, tudo não passa mesmo de uma maquinação hipócrita? Não seria esse comportamento um reflexo daquilo que cada um dos cortesãos tenta, constantemente, expressar de maneira elegante e bem-educada? Quando primeiros-ministros vão visitar a rainha, eles não saem de casa bem preparados, com belas palavras ensaiadas que, quando são ditas, transmitem sinceridade?

A primeira coisa que choca Lear é quando é privado daquilo que acreditava ser seu de direito: a gratidão incondicional de todos os seus súditos e, sobretudo, de suas filhas. Até o momento em que ele vai embora sob a tempestade, suas defesas estão intactas. Elas demonstram sua necessidade absoluta em reafirmar sua voz de comando. Ele é um homem de pulso firme, que pode manobrar, manipular ou dissimular segundo seus próprios desígnios. Mas eis que aqui ele foi pego de surpresa, e o vulcão que lhe vai por dentro, de repente, começa a ficar fora de controle. Como sua filha favorita poderia, de maneira tão desumana, destruir tamanha oportunidade pública?

Assim, a surpresa e a raiva tornam-se terrivelmente inevitáveis. Do mesmo modo, Shakespeare evita simplificar o personagem de Cordélia, pois sua reação também torna-se inevitável: ela leva no sangue a mesma força inflexível de seu pai.

A segunda aparição de Lear nos apresenta o outro lado da moeda: o quanto o caldeirão de energia que ostenta faz com ele seja um esplêndido companheiro de seus cavaleiros. Ele possui as características que encontramos em muitos ditadores: Stálin foi, para muitos, o "papai Stálin". Todos os piores monstros de nossa época pareciam amistosos, generosos e grandes companheiros, sobretudo aos olhos dos visitantes estrangeiros. Quando o marechal Tito veio assistir à nossa montagem de *Tito Andrônico* em Belgrado, ele não estava usando sua farda habitual. Vestindo um terno preto, gravata preta e camisa branca, ele podia ser confundido facilmente com algum célebre produtor hollywoodiano enquanto tomava alguns drinques com o elenco durante o intervalo. Até mesmo Hitler encantava muitos líderes, não apenas na Inglaterra, como também fizeram mais tarde Saddam Hussein e o coronel Gaddafi. O modo como morreram e seus últimos dias revelaram o grau monstruoso de suas histerias e violências internas. Isso tudo é o oposto da jornada de Lear.

Para que a peça faça sentido – e para sustentar a passagem, sem nenhum remorso, do poder absoluto ao nada –, o Lear da cena de abertura tem de ser um rei sem fissuras aparentes em sua armadura de ferro. Mas, mesmo que não estejam aparentes, elas estão lá. A gradual autodescoberta de sua vasta ignorância é o motor da ação dramática como um todo. É a riqueza dessa descoberta que, pouco a pouco, vai se infiltrando e preenchendo as fissuras.

Shakespeare sempre mostra como, nos personagens mais poderosos, existem camadas de fraquezas insuspeitáveis. Isso nos conduz à tragédia – o que era chamado de "falha oculta". Mas o que fornece o elemento puro para a tragédia, separando-a do melodrama, é o fato de que o herói trágico – começando com Édipo – é um ser humano legítimo.

Hoje em dia dispomos de muitos termos psicológicos e neurológicos que nos mostram a mesma verdade constrangedora – nenhum de nós nasceu como uma folha em branco. Até mesmo mapas astrais, com seus complexos diagramas, que descrevem as influências no momento do nascimento, costumam dizer a mesma coisa. Os gregos chamavam isso de "destino";

o termo da vez agora é "genética". Shakespeare explorou muitos hábitos com os quais os seres humanos nascem, que são limitações inatas, e como, em alguns casos, podem ser superadas. Este é um tema que Shakespeare perseguiu desde *Coriolano*, passando por *Medida por medida*, chegando até em *A tempestade*. É disso o que trata Sófocles em Édipo, quando põe seu herói diante de uma crescente série de eventos por meio dos quais a verdade terá de se revelar. Em *Coriolano* encontramos uma profunda sensibilidade oculta, que se torna a fonte da tragédia, quando certos acontecimentos fazem-na emergir. Coriolano, o guerreiro, primeiro é apresentado numa estrofe com imagens impactantes alusivas ao ferro – matéria estrutural de sua armadura, com a qual é vencida cada uma das batalhas. Talvez, desde pequeno, tenha sido sua mãe que o condicionou a acreditar que um herói patriota era o que a vida esperava dele. Havia algo de semelhante nos "construtores do império" nas escolas públicas vitorianas. Volúmnia construiu seu filho segundo valores romanos.

Lamento informar, mas, bem no fundo, Coriolano não era apenas orgulho, ódio e violência... era um ser humano como outro qualquer. Foi preciso uma longa série de tentativas e erros para que sua sensibilidade viesse à tona. Ele parece intransigente; e vai de encontro ao inimigo. Seu desejo de violência e destruição – até mesmo contra seu próprio povo – é um tema com o qual hoje em dia estamos dolorosamente familiarizados. Mas Coriolano tem uma mãe que sabe o quão distante isso está da verdadeira natureza de seu filho. E numa das situações humanas mais maravilhosamente concebidas, a mãe é compelida a revelar todas as qualidades do filho num desfecho tardio, mas absoluto. Como uma romana, ela salva Roma e sela a condenação de Coriolano. A tragédia inevitável é a destruição de seu próprio filho, após ter compreendido que foi ela mesma que construiu a personalidade dele.

Em *Medida por medida*, Shakespeare revela duas naturezas ao criar dois indivíduos distintos. O duque tem de deixar sua torre de marfim para entrar em contato com a vida do povo. Ângelo, o delegado do duque, se torna um déspota substituto e tenta imitar aquilo que acha ser o papel do autocrata, privando seus súditos e a si próprio de qualquer possibilidade de cordialidade, riso e pecados toleráveis. E o momento crucial é quando Isabel, de maneira repentina e inesperada, se dá conta de que o perdão é maior do que a vingança.

Se *Rei Lear* representa o apogeu de toda escrita europeia, encontrando paralelo unicamente em *Os irmãos Karamázov*, é devido à integração plena de cada uma de suas partes num todo abrangente, que abarca a quase totalidade dos elementos da vida social, familiar, política, pessoal e até mesmo de foro íntimo. É um erro comum dos atores abordarem cada um dos personagens de *Lear* tendo em mente estereótipos preconceituosos. Desde as filhas até seus maridos – um que parece fraco, outro impiedoso –, jamais um simples adjetivo pode abarcar sua totalidade. Quando construídos a partir de dentro – que é a missão de todo ator – Kent, Gloucester, Edmundo, Edgar, Cornualha e Albânia são ricos e densos.

Em nosso *Rei Lear*, com Paul Scofield, em 1962, uma atriz excepcional, Irene Worth, fez uma Goneril inesquecível abordando profundamente a personagem, unicamente a partir do ponto de vista de Goneril. Ela mostrava uma Goneril maltratada e incompreendida que sempre sabia que estava certa. Simpatizávamos com ela como uma filha que convida o pai para sua casa e descobre o preço que ela e seus familiares têm de pagar. Ela presencia uma turba de cavaleiros bêbados destruindo tudo e humilhando os empregados. Qualquer filha presente na plateia, que tenha tido de hospedar um pai difícil durante longo período em sua casa, entenderá imediatamente o que está acontecendo em cena. E quanto mais próximos acompanhamos seus sentimentos feridos – que remontam à sua infância –, maior é o choque que testemunhamos ao notar o inexorável movimento que vai, do mais agradável comportamento exterior, ao cerne mais pesado e violento que nenhum marido jamais poderia acreditar. A brutalidade de Goneril e sua natureza sexual só são reveladas quando Lear, em atitude de extrema crueldade, roga-lhe uma praga assustadora, desejando a morte de qualquer vida que possa ser gerada em seu ventre. Isso é algo tão estarrecedor que, por um momento, podemos quase aceitar e consentir que ela ponha seu pai para fora de casa, no meio da tempestade. De qualquer forma, podemos compreender a inevitabilidade desta situação: a semente da tragédia nasceu da colisão entre duas psiques de rara potência.

Então como pôde Shakespeare mostrar em *Lear* que o impetuoso, o tirano cruel da primeira cena é um homem de qualidades ocultas, cuja jornada de autoconhecimento e compaixão precisamos acompanhar cada vez mais profundamente? Já desde o começo ele se serve de um recurso: o bobo, cuja voz é também a voz interna de Lear, a qual se recusa ouvir por saber que, ao mesmo tempo, ela diz a verdade.

Existem duas antíteses fundamentais em *Lear* que refletem a condição humana universal. São elas cegueira versus visão e o contraste entre vida exterior e vida interior. Ambas são mostradas como realidades concretas e ilimitadas metáforas. Dentro do castelo, protegido por paredes espessas e impenetráveis, a vida é quente e acolhedora. Ocorre o mesmo na alma dos personagens. As paredes têm de ser destruídas, seu conforto e proteção devem ser totalmente removidos, para que tormentos interiores sejam vivenciados. Resta à cidadela que Lear levou oitenta anos para construir perder seus bastiões, um por um. E o mesmo se passa com Gloucester até que ele e Lear se tornem iguais. Preparando-se para morrer, Gloucester encontra um momento de calma, um lugar de repouso. Ele descobre que "maturidade é tudo". Mas Lear tem de ir muito mais longe.

Seria inútil aqui tentar explorar todas as linhas que se entrelaçam nesta obra. Elas só podem ser redescobertas em ensaios e, acima de tudo, em apresentações onde a verdade aparece. Tampouco tentarei descrever aqui quão abrangente foi a atuação de Paul Scofield no papel de Lear. Para conhecê-la, teria sido preciso vivenciá-la.

No começo, sob a tempestade, Lear ainda é forte o suficiente para desafiar os elementos. Mas em pouco tempo ele passa para uma outra etapa. Assim como o duque em *Medida por medida*, ele deixa o palácio, pela primeira vez, para diretamente experimentar a vida de seus súditos, e por conseguinte da própria criatura humana – uma jornada de revelações. Mas ele ainda está protegido por suas memórias e personalidade. Com uma precisão fora do normal, Shakespeare faz as vezes de psicólogo, sociólogo e neurologista. A mente de Lear é totalmente incapaz de lidar com a torrente de novas impressões. Mas o tsunami é inexorável. A última barreira terá de se romper. O único refúgio é aquele que ele mais teme: a loucura.

E é até esse ponto em que a maioria dos autores chega. Mas na epopeia shakespeariana este é apenas o começo de um novo capítulo.

Os dois anciãos, física e mentalmente cegos, Gloucester e Lear, juntam-se para compartilhar uma nova visão e entendimento dos seres à sua volta que tiveram de mentir e bajular para atingirem seus objetivos. Somente agora, sentindo uma dor infinda e, ao mesmo tempo, uma sugestão de calma, é que Lear está pronto para reconhecer sua cegueira e a verdadeira qualidade de Cordélia.

O que vem em seguida poderia facilmente compor um final feliz. Lear está aberto a aceitar tudo o que vem de encontro a ele, pois está, por amor, unido a sua filha. Mas a história é impiedosa: a última barreira só se romperá se sua verdade essencial, por fim, aparecer. Cordélia tem de pagar por seu ato de rebeldia. Cordélia tem de morrer, ela terá de cair nos braços do pai, cujos últimos esforços para encontrar um sentido, e tornar-se modelo, fracassam. Bastam essas palavras inesquecíveis para nos levar até a essência da tragédia:

Nunca, nunca, nunca, nunca, nunca![14]

Muitos comentadores se perguntam por que não existe aí nenhum toque de cristandade que traga, no fim da peça, algum consolo para o público.

---

14 No original: "Never... never... never... never... never." [N.T.]

Naturalmente, como todas as religiões, o cristianismo necessita de uma vida externa e de um sentido oculto. O Pai, o Trono, os portões dourados do Paraíso, o fogo do Inferno são, no princípio, pontos de apoio indispensáveis. Mas, no nível mais profundo, a imaginação reconfortante dá lugar a um infinito, vibrante e luminoso vazio. Eis aonde toda a trágica batalha de Lear o levou. Mas, como em todas as peças de Shakespeare, a tragédia nunca tem a última palavra. A vida em todos os seus níveis tem de seguir adiante. E aqui cabe a Edgar levar-nos a um novo início:

> Nós jovens, garanto
> Jamais veremos tanto,
> Nem viveremos tanto[15].

Tomando essas palavras ao pé da letra, elas não fazem o menor sentido. Não é uma história de como se realizar na vida para atingir maturidade em idade avançada. Temos aqui um poeta e uma expressão dramática do quanto tantas coisas podem ser compactadas em cada unidade de tempo – se estivermos despertos o suficiente para perceber isso. Para Lear, é o acúmulo de pressões extremas, na última etapa da sua vida, que faz com que cada segundo de suas experiências finais passe a ser uma nova vida. E nós, espectadores, testemunhamos a intensidade de existência que se concentra em cada momento da peça. Nós também *jamais veremos tanto*. Ver é o resultado do sofrimento

---

15 William Shakespeare, *O rei Lear*, trad. Millôr Fernandes (Porto Alegre: L&PM, 2007), p. 140. No original: "We that are young/ Shall never see so much, nor live so long". [N.T.]

que transcende a cegueira; e ao *viveremos tanto* é onde o *nunca, nunca, nunca...* conduz. É uma abertura para a eternidade.

A AMPULHETA

**CADA GRÃO
TEM SUA
IMPORTÂNCIA**

Na Idade Média, um monge dispunha à sua frente, sobre sua mesa, um crânio e uma ampulheta. Cada grão de areia que caía era para lembrar-lhe do tempo: tão curto, tão facilmente desperdiçado, cada momento que passa e não volta nunca mais.

Nessa imagem, podemos ver todos os aspectos da diferença entre o tempo na vida ordinária e o tempo no teatro, tanto para o ator, para o diretor, para o espectador quanto para o autor. Duas horas parado num congestionamento poderia não passar de uma simples maneira de matar o tempo ou, ao contrário, se pensarmos em *Rei Lear*, em duas horas há tamanha concentração de experiências que, se a peça não existisse, o que está ali presente levaria o tempo de uma vida.

Tudo indica que Shakespeare escrevia em alta velocidade. Tem-se a impressão de que sua superfície calma e branda era a tampa de uma panela de pressão de rodopiantes – e até mesmo explosivos – átomos de pensamentos, sentimentos, memórias e experiências. Por essa razão, nosso ponto de partida para abordar sua poesia é reconhecer a concentração e densidade de cada frase, muitas vezes enganosamente simples e, no âmbito da frase, cada palavra, cuja forma, som e duração são inseparáveis do sentido. Quando trabalhei com Ted Hughes para desenvolver uma língua com palavras inventadas na montagem de *Orghast*, ele ficou fascinado ao observar em si mesmo o processo interior de um poeta. Pouco a pouco descobriu que podia apreender o exato momento em que um sentido começava a buscar sua forma.

No teatro do século XIX, as falas eram tomadas como caixas de ressonância, e apenas grandes e talentosos atores, por pura intuição, podiam atingir o cerne da complexa vida das palavras, onde pensamentos e sentimentos se unem.

No século XX, como uma reação contra o estilo empolado, surgiu uma abordagem fria e didática. Foi ensinado à nova geração de atores que era preciso estudar a estrutura dos versos unicamente enquanto forma, separada de seu significado. Isso levou muitos atores ao mesmo impasse a que cantores de ópera são conduzidos por seus professores. Shakespeare sempre foi tido como um autor cujos textos estavam a meio caminho da ópera, e é útil observarmos o quanto isso pode ser perigoso.

Claramente, em ambos os casos, o único ponto de partida é sentir quais os primeiros sons ou palavras que inspiraram o autor (ou compositor). Em quase todos os casos, encontramos personagens humanos diante de uma específica situação humana. Caso o autor ou compositor fosse tocado por isso, o resto acompanhava.

Mas, no mundo da ópera, começa-se por um ponto de partida diferente. Aqui, primeiro o artista encontra seu novo papel com um professor, ao piano, extremamente rigoroso e preciso, que o corrigirá de forma minuciosa nos quesitos andamento e tom, muito antes de considerar o contexto vivo, a situação propriamente dita. É lógico que os cantores conhecem, ao menos, um esboço da história. Mas é o mais fino detalhe de cada situação que os guiará. As palavras surgiram, e foram elas que deram ao compositor sua melodia. Isso parece tão simples, mas é engraçado quão facilmente podemos passar por cima disto.

E isso facilmente também pode acontecer com a fala do texto em verso. Até recentemente, o ator shakespeariano tinha de ser ensinado dentro das regras da métrica – as dez pulsações, as possíveis divisões cinco por cinco, as paradas ao término de cada verso e assim por diante – antes de ser posto em contato com a fonte de inspiração do autor e antes ainda de entrar em contato com a forma, com o padrão, e com o ritmo do próprio pensamento. Pois um pensamento verdadeiro tem um sentimento, e é o sentimento que, por sua vez, faz a música fluir.

Shakespeare, em apaixonada velocidade para descobrir palavras que dessem conta do desordenado tumulto que lhe ia por dentro, nunca contava de um a dez. Esse era o lado profundo de sua consciência; assim, em seus escritos de maturidade, quando a pressão dos sentimentos era mais forte do que a exatidão da forma, ele violava suas próprias regras.

Quando ele escreveu para *Lear* "Nunca... nunca... nunca... nunca... nunca...", será que ele se deu conta (e é útil para o ator saber disto?) de que essas cinco palavras formam um pentâmetro perfeito? Se o ator observasse só a batida, o resultado seria duro e sem vida. Quando era dito por um grande ator como Paul Scofield, a musicalidade do texto era diferente em cada apresentação. E não podia ser de outra forma. Ele não estava pensando "Como posso renovar esse trecho na noite de hoje? Como posso dizer o texto de um jeito diferente?". Ele não tinha escolha. Ele chegava nessa parte no quinto ato com a total intensidade da sucessão das ações, uma após a outra, tudo muito vivo dentro dele. Então, inevitavelmente, as palavras apareciam apenas com o ritmo que havia surgido na experiência daquela noite em particular. Assim, ensaiar, ouvir os outros, aproximar-se cada vez mais dos parceiros, improvisar e contar com a presença de um público, são ferramentas que dão forma à sensibilidade inata do ator. Isso é método sem método.

Muitos anos atrás, uma simples experiência deu forma e relevo ao talento que todo poeta possui para transformar o tempo da vida ordinária em tempo teatral. Peter Weiss, o autor de *Marat/Sade*, foi um humanista politicamente engajado, um pintor (principalmente de colagens) e, acima de tudo, um poeta. Profundamente motivado pelos horrores do Holocausto, ele sentiu necessidade de trazer este universo para a consciência instantânea do público de teatro. Então mergulhou em transcrições dos processos de Nuremberg, vivenciou-os, sofreu com eles para, daí, destilar centenas de páginas com falas do testemunho direto de quem passou por aquilo tudo; e fez isso com um mínimo de palavras, de modo natural, intenso e preciso. Deste modo, ele pôs a serviço da verdade tudo aquilo do qual apenas um talento poético é capaz. O resultado foi tão poderoso que a ampulheta dominava o acontecimento: cada grão de areia que caía era como se fosse uma chama causticante.

Vamos agora relacionar isto com *Hamlet* e tomar uma passagem do monólogo "Ser ou não ser":

O pensamento assim nos acovarda, e assim
É que se cobre a tez normal da decisão
Com o tom pálido e enfermo da melancolia;
E desde que nos prendam tais cogitações
Empresas de alto escopo e que bem alto planam
Desviam-se de rumo e cessam até mesmo
De se chamar ação[16].

16 William Shakespeare, *Hamlet*, trad. Péricles Eugênio da Silva Ramos (São Paulo: Editora Abril, 1976. Coleção Teatro Vivo), p. 109. No original: "Thus conscience does make cowards of us all,/ And thus the native hue of resolution/ Is sicklied o'er

"Com o tom pálido e enfermo da melancolia". "Enfermo... tom pálido... melancolia": a sequência é magnífica. Mas podemos facilmente imaginar um professor devolvendo a redação ao seu aluno, dizendo: "... *o tom pálido e enfermo* não é uma construção muito interessante, da próxima vez, faça melhor!".

Quanto mais nos permitirmos ir fundo na vida interior do personagem, mais reconheceremos a justeza de "pálido e enfermo". Em *Hamlet*, o talentoso jovem príncipe não só está examinando tudo o que teve de aceitar da vida da corte, mas também está pondo em dúvida sua própria educação e sua natural desenvoltura para falar. "Palavras, palavras, palavras..." eis um profundo questionamento: qual o verdadeiro valor das palavras? Neste contexto, notamos que o poderoso choque de "pálido e enfermo" nos leva diretamente a uma nova descoberta: pensamentos que pareciam tão inseparavelmente parte de toda uma busca pela verdade são vistos, de repente, como nada além de pálidas impressões. É lógico que a fala inteira, assim como seu questionamento, têm de estar lá para iluminar esse momento, mas, por enquanto, basta darmos uma olhada no verso anterior:

O pensamento assim nos acovarda

Introspecção e percepção estão contidas em "pensamento" (*conscience*), o que, intuitivamente, possibilitou a Shakespeare dar força expressiva à auto-observação,

with the pale cast of thought,/ And enterprises of great pith and moment,/ With this regard their currents turn awry,/ And lose the name of action". [N.T.]

utilizando uma sonoridade mais pesada em "nos acovarda" (*cowards*), e, com inquestionável e instantânea presença, utilizando uma percussão sonora, em inglês, quando se serve da cacofonia repetindo o "c". Conhecer isso pode ajudar os atores, ainda que tenham obtido grau universitário? Ou, ao contrário, não será uma sensibilidade amadurecida para cada detalhe do verso, sua forma, sua sonoridade e seu sentido que pode favorecer a preparação adequada?

A ampulheta está presente nos versos seguintes. Podemos ver o quanto eles são a compactação daquilo que, de outro modo – fora do tempo teatral – poderia demandar tantas palavras, palavras e mais palavras. Aqui as palavras não são mais detalhes apartados uns dos outros; são parte de frases poderosas levando a uma conclusão que toca integralmente a dolorosa jornada que Hamlet tem de cumprir.

> Empresas de alto escopo e que bem alto planam
> Desviam-se de rumo e cessam até mesmo

Há muitas maneiras de abordá-los:

> empresas de alto escopo e que bem alto planam

Alguém seguindo as regras teóricas poderia ser levado a acentuar dessa maneira:

> <u>empresas</u> de alto <u>escopo</u> e que bem alto <u>planam</u>

Outro, tentando fazer tudo soar natural e moderno, do tipo "Eu diria desse jeito...", poderia juntar uma quarta acentuação:

empresas de alto escopo e que bem alto planam

Ou até mesmo uma quinta acentuação:

empresas de alto escopo *e* que bem alto planam

De maneiras diferentes, em cada versão está faltando o poder de um verso que, tomado como um todo, expressa vividamente apenas um pensamento. Não é necessário dar importância a uma palavra acentuando-a. A palavra pode ser preenchida com um sentido especial sem que a fluidez da frase seja quebrada.

empresasdealtoescopoequebemaltoplanam

Isso não precisa ser tagarelado, nem fragmentado. Parecerá vivo se houver mudança de cores vocais; não precisam ser "acentuadas" – as cores surgem naturalmente vindas do pensamento e do sentimento, sem perder a forma na frase. O movimento continua

Desviam-se de rumo... e cessam até mesmo

para chegar à conclusão clara e simples, feita com seis leves palavras cotidianas:

...e cessam até mesmo
De se chamar ação.

Assim, a palavra mais simples, "ação", sustenta tudo aquilo que nos deixou preparados para que ela aparecesse e ocupasse o devido lugar na vida de Hamlet.

O equivalente musical é o de descobrir a liberdade dentro da marcação do metrônomo. Peter Hall chamava isso de *free jazz*. A pulsação está lá, constantemente nos lembrando da passagem do tempo, do mesmo modo que faz a ampulheta. O *free jazz* nunca é desleixado. A batida está lá, mas não tiraniza. A frase assume sua forma própria, surfando nas ondas.

Recitadores de versos e cantores de óperas poderiam aprender muito ouvindo todas as formas de música popular, de Billie Holiday a Edith Piaf, onde a paixão, o sentimento, a entonação, o ritmo, tudo isso surge da palavra. No jargão da Broadway, isso é o que se chama "ler" uma canção. Uma vez perguntei a Richard Rodgers, compositor de *Oklahoma!* e outros numerosos musicais, se ele tinha um estoque de melodias em alguma gaveta esperando para ser usado. "Claro que não!" ele respondeu. "Eu preciso das palavras." Como acontece com todos os compositores de canções, são as palavras propostas pela letra que despertam a música.

Na música tradicional da Geórgia, a palavra usada é "dizer" – dizer uma canção. A marcação está lá, mas a frase tem um propósito.

Quando a ampulheta está presente, cada minúsculo grão de areia que cai nos lembra o quanto, nessa forma tão particular a qual chamamos "teatro", "empresas de alto escopo" podem, facilmente, "cessar de se chamar ação". O grão de areia nos diz que o "sentido" não pode ser descrito, nem analisado. Mas quando a verdade está presente, ela é parte da ação. Dentro de cada grão, que, à primeira vista, não passa de algo minúsculo, há infinitos tons de detalhes que podem se revelar. Entre dois grãos de areia, há um momento de suspensão. Somos tocados, e, intimamente, dizemos "sim". A ampulheta não é um relógio; não é uma voz gritando "Vamos, rápido!". É algo que está lá para nos lembrar de que a vida sempre dura muito tempo, mas que cada momento é imprevisível, jamais duas vezes o mesmo. Em Shakespeare, as palavras são como microscópicos espermatozoides, cada um correndo numa direção, cada qual com seu objetivo. Tentamos pormo-nos à disposição deles, e isso demanda tudo o que temos: paciência, impaciência, pressa, calma. Os grãos de areia parecem idênticos, mas isso é ilusão. A vida entre eles está sempre em movimento.

Isso nos leva a um mistério dos mais estimulantes. Em termos de estilo e de estrutura, os versos estão no polo oposto da linguagem falada do dia a dia. Em nossos relacionamentos comuns não falamos uns com os outros cantando ou recitando. Essa dicotomia pode levar a direções totalmente opostas. Pode produzir um "idioma cênico", cujos espectadores refinados entendem como artificial. As falas e os personagens imediatamente morrem se tentarmos reconstruir o período no qual eles foram escritos, assim como Shakespeare era apenas um produto de seu tempo. Na verdade, montagens de todas as partes do mundo constantemente nos trazem novos pontos de vista das peças. O excepcional ator africano Sotigui Kouyaté, em *A tempestade*, trouxe para Próspero uma cultura na qual o invisível sempre fazia parte da natureza, parte de sua experiência cotidiana. Ocorria o mesmo com Bakary Sangaré como Ariel. Aquele Ariel tinha um corpo poderoso, atlético, nada parecido com o corpo de dançarinos ágeis que estamos acostumados a ver. Mas a luminosidade emanava de dentro. Ele trazia uma vivência daquilo a que chamamos espírito, de modo que podíamos vê-lo junto com ele. É maravilhoso quando pensamento e sentimento estão perfeitamente mesclados: a frase, o som, o gesto mais estranho se tornam naturais. Isso deve sempre servir de teste. Quando, num momento de experiência, tudo parece natural, não há espaço para perguntas. Somos tocados de uma nova maneira – não temos tempo para mais nada. Há apenas sentido. É disso que se trata o verso.

UM COZINHEIRO

E UM CONCEITO

SONHANDO
O
SONHO

Uma vez perguntou-se a um computador: "O que é a verdade?". Muito tempo depois chegou a resposta: "Vou contar-lhes uma história...".

E, hoje em dia, esta é a única maneira que posso responder uma pergunta que sempre me foi feita: "Por que você não escreve sobre *Sonho de uma noite de verão*? Você deve ter muito a dizer!".

Então... vou contar-lhes uma história.

Quando eu tinha dezoito ou dezenove anos, minha única ambição era fazer um filme. Por acaso, conheci o mais eminente produtor daquele tempo, Sir Alexander Korda, um húngaro de origem humilde que havia emigrado para fazer fortuna, primeiro na França e depois na Inglaterra, onde tornou-se poderoso, foi condecorado pelo rei e casou-se com uma bela estrela, Merle Oberon, que, para meu pai, era a "mulher perfeita".

Eu acabara de chegar de Sevilha, onde havia passado a Semana Santa. Assim, como estava fortemente tocado por um amontoado de impressões misteriosas, imaginei uma história que pudesse se passar com esse inquietante pano de fundo.

"Sir Alexander," – comecei – "tenho uma ideia para um filme...".

Ele me cortou com uma frase inesquecível que sintetizava, em poucas palavras, a expressão de toda a mentalidade daquela época, do sistema britânico de classes sociais e do esnobismo de um recém-chegado à classe alta. Com um leve gesto manual de desprezo, ele disse: "Até um cozinheiro pode ter uma ideia".

Este foi, praticamente, o fim do encontro. "Volte a me procurar quando tiver desenvolvido sua 'ideia' o suficiente, quando tiver uma história real para me oferecer".

Levei muitos anos tentando desvencilhar essa frase daquele contexto e período, para enfim ouvir a verdade profunda que estava contida ali.

Isso me levou diretamente para *Sonho de uma noite de verão*. Nunca havia pensado em dirigir a peça. Eu tinha visto muitas montagens encantadoras, com belos cenários e garotas entusiasmadas fingindo serem fadas. Porém, quando fui convidado para montar a peça em Stratford, descobri, para minha surpresa, que minha resposta era "sim". Em algum lugar, dentro de mim, havia uma intuição que eu ignorava.

A primeira turnê na Europa do Circo de Pequim revelou-nos que, na leveza e velocidade dos corpos anônimos dos performáticos e assombrosos acrobatas, sem exibicionismo, tudo aquilo era puro espírito. Serviu-me como um sinal para ir para além da ilustração, ir em busca da evocação; então comecei a imaginar uma coprodução com os chineses. Um ano depois, em Nova York, foi um balé de Jerome Robbins que me abriu outra porta. Um pequeno grupo de bailarinos, em volta de um piano, trazia frescor e magia aos noturnos de Chopin, que sempre foram inseparáveis dos ornamentos, das árvores pintadas e da luz do luar. Num figurino sem época, eles simplesmente dançavam. Esses sinais despertaram em mim uma suspeita inadiável de que, em algum lugar, uma forma inesperada de encenação aguardava para ser descoberta.

Conversei sobre isso com Trevor Nunn, diretor do Royal Shakespeare Theatre, e ele me disse que, por conta disso, havia criado uma companhia jovem que podia, em pouquíssimo tempo, aprender qualquer coisa que fosse necessária. Era bom demais para ser verdade, principalmente porque os acrobatas chineses iniciavam seu treinamento com cinco anos de idade.

Assim começamos apenas com a convicção de que se trabalhássemos duro, por bastante tempo e com bastante alegria em todos os aspectos da peça, pouco a pouco a forma apareceria. Começamos a preparar o terreno para darmos uma oportunidade para esse formato. Todos os dias improvisávamos os personagens e a história, praticávamos acrobacias e só então passávamos do corpo para o trabalho intelectivo, discutindo e analisando o texto linha por linha, sem ter a menor ideia aonde isso nos estava levando. Não havia caos, mas tão somente uma direção firme, a percepção de uma forma desconhecida que nos pedia para seguir adiante.

Com liberdade e alegria, Alan Howard no papel de Oberon, não só rapidamente descobriu que podia dominar a arte de fazer um prato girar na ponta de uma vara, mas também que podia se sair muito bem no trapézio, sem perder nenhuma das finas nuances de sua excepcional sensibilidade para dizer versos. O ator que fazia Puck, John Kane, fez o mesmo, dominando as pernas de pau. Num outro registro, um jovem ator muito talentoso, que tragicamente morreu muito novo, Glynne Lewis, descobriu que todas as crenças, segundo as quais a lamentação de Tisbe por causa da morte de Píramo não passariam de pura farsa, encobriam um sentimento profundo e verdadeiro. Isso tudo repentinamente transformou as costumeiras e absurdas tentativas de atuação dos artesãos no palácio em algo verdadeiro e até tocante. A situação foi revertida de tal modo que o mais esperto e sarcástico dos espectadores cultos e pretensamente superiores acabava merecendo, perfeitamente, a repreenda do duque:

Por isto, o amor e a simplicidade muda, em minha opinião, mais se entendem quando menos falam[17].

Assim, pela primeira vez, servimo-nos de um expediente que nunca mais abandonamos. No meio dos ensaios, convidamos um grupo de crianças para nossa sala de ensaio, para nos assistir; um tempo depois, escolhemos um público específico, numeroso, de um clube de Birmingham, com a intenção de testar o que estávamos fazendo. Imediatamente, aspectos fortes e também lamentavelmente fracos nos foram impiedosamente expostos. Vimos a armadilha das piadas que ocorrem nos ensaios: tudo aquilo que fazia a companhia se contorcer de tanto rir caía por terra. Estava claro que algumas formas embrionárias podiam ser desenvolvidas e outras descartadas, de modo que nada, no processo, era perdido. Uma coisa sempre pode levar à outra. Na França, nos cruzamentos das linhas férreas, sempre há um aviso que diz: "Um trem pode esconder outro". Isso pode ser interpretado com um alento: "Atrás de uma ideia ruim, uma boa ideia pode estar aguardando para surgir".

Pouco a pouco, o quebra-cabeça começou a se encaixar, ainda que a primeira apresentação do período de pré-estreia tenha sido desastrosa. Meu velho amigo Peter Hall tomou-me pelo braço e expressou seu desalento com o retumbante fracasso que se anunciava. Mas, naquela altura do processo, um choque se fazia

---

17 William Shakespeare, *O sonho de uma noite de verão*, trad. F. Carlos de Almeida Cunha Medeiros e Oscar Mendes (São Paulo: Editora Abril, 1981), p. 266. No original: "For never anything can be amiss/ When simpleness and duty tender it". [N.T.]

necessário. O que fazer? O mais próximo dos colaboradores de Peter Hall, John Barton, disse: "O problema está no início. O modo como você inicia a peça não nos prepara para o rumo inesperado que ela toma. Do jeito que está, simplesmente não conseguimos entrar nela". Graças a John, descobrimos uma maneira de iniciar a peça, literalmente, com um estrondo. Com uma explosão de percussão criada pelo compositor Richard Peaslee, o elenco inteiro irrompia no palco, com todos pendurados em escadas, feito enxame no topo do cenário, com tanta alegria e energia, que arrastavam o público para junto de si. Depois de tal entrada, não podiam mais errar. A presença do público durante uma semana, no período de pré-estreia, junto com a alta dose de pressão no sentido de reavaliar e corrigir cada detalhe, permitiu, enfim, que surgisse o formato latente que se escondia. Então, como uma refeição bem cozida, não havia mais nada a fazer, a não ser degustar, apreciar. Normalmente, depois da estreia, é preciso continuar a trabalhar, dia após dia, não estando nunca satisfeito; mas agora era diferente e podíamos reconhecer isso: milagrosamente tudo havia se encaixado.

Quando a montagem rodou em turnê pelo mundo todo, houve muitas propostas para filmar o espetáculo. Sempre recusei, porque a essência do imaginário proposto pela cenógrafa Sally Jacobs era uma caixa branca. O invisível, a floresta, até a escuridão da noite, tudo era evocado pela imaginação do vazio, que não tinha nada a declarar, nem a ilustrar. Infelizmente, o cinema daqueles tempos dependia inteiramente da película, de maneira que, depois das primeiras projeções, cada vez mais os arranhados iriam aparecer. De qualquer modo, a fotografia em cinema é essencialmente naturalista, e um filme baseado apenas numa brancura, na melhor das hipóteses suja e manchada, era impensável. É claro que uma peça pode ser filmada, mas não literalmente. Tentei fazer isso várias vezes, e sempre era preciso descobrir um novo formato que correspondesse à nova mídia. Nunca pode ser uma gravação literal daquilo que o público uma vez tenha visto no teatro. Neste caso, eu sentia que nada poderia refletir o sabor e a inventividade do grupo inteiro. Aquilo era realmente um evento para ser visto ao vivo.

Então a produção foi convidada para ir ao Japão. Todos estavam ansiosos para ir. Como os custos eram demasiadamente altos, será que eu poderia aceitar que a peça fosse gravada pela televisão, ao vivo, de modo que o resultado, uma vez mostrado para todo o Japão, pudesse contribuir com as despesas? Se todos nós aceitássemos, os organizadores prometiam que os negativos seriam destruídos na presença do cônsul da Inglaterra. Conversei sobre isso com o elenco, e todos estavam comigo em recusar a filmagem. Mas com essa nova proposta parecia-nos impossível dizer não.

Semanas mais tarde, recebi, do Japão, um pacote volumoso, contendo um conjunto de discos em formato grande. "Isto", escreveu um dos produtores, "é uma cópia da gravação. Achamos que vocês deveriam tê-la".

Encontrei um leitor para aqueles discos e, para minha surpresa, o espetáculo filmado até que parecia muito bom. Enviei um telegrama para o Japão, dizendo-lhes para não destruir a máster. Recebi de volta a seguinte resposta: "Nesta manhã, na presença do cônsul inglês, conforme solicitado, a gravação e os negativos foram destruídos".

Só mais tarde me dei conta de que aquilo foi um valioso lembrete para que eu mantivesse minhas próprias convicções. A vida de uma peça começa e termina no momento da apresentação. É ali onde autor, atores e diretores expressam tudo o que têm a dizer. Se o evento tiver algum futuro, só poderá ocorrer na memória daqueles que estiveram presentes, e que guardaram algo em seus corações. Este é o único lugar para o nosso *Sonho*. Nenhuma forma nem interpretação são para sempre. Uma forma tem de tornar-se fixa por um curto espaço de tempo, para depois ir embora. Assim como o mundo muda, há e deverá haver novos e totalmente imprevisíveis *Sonhos*.

Hoje, mais do que nunca, tenho grande respeito pela intuição amorfa que nos guiou, e isso me deixa profundamente desconfiado da agora tão utilizada palavra "conceito". Logicamente, até um cozinheiro tem um conceito, mas isso se torna real durante o ato de cozinhar, e uma refeição não é feita para durar. Infelizmente, nas artes visuais, "conceito" agora substitui todas as qualidades de execução e desenvolvimento que sempre foram conquistadas com muito suor e trabalho. No lugar delas, ideias são desenvolvidas como ideias, como afirmações teóricas que nos levam igualmente a outros debates e construções teóricas. A perda não está nas palavras, mas no esvaziamento daquilo que só pode surgir da experiência direta, que pode desafiar o pensamento e o sentimento através da qualidade que carrega.

Um tapete surrado posto em cima de um amontoado de sapatos velhos obteve prêmios internacionais. Isso foi considerado o suficiente para expressar a tragédia das emigrações de populações refugiadas e suas longas caminhadas. Isso foi objeto de admirável correção política, mas seu impacto foi insignificante quando comparado a um Goya, a um Picasso ou a muitas fotografias impactantes. Um simples bulbo de lâmpada, acendendo e apagando, obteve um importante prêmio porque isso era toda a expressão da vida e da morte. Na verdade, isso apenas expressava a "ideia" da vida e da morte. Todos esses conceitos receberam muitos prêmios; mas não teria razão Alexander Korda quando me disse acertadamente: "Volte a me procurar quando tiver posto sua ideia numa forma poderosa"?

Uma forma existe tanto no nível visível quanto no invisível; existe por meio da qualidade de seu desenvolvimento, e, finalmente, pelo modo com que seu sentido é transformado. É compreensível a dificuldade que têm atores, diretores e cenógrafos, diante de uma peça de Shakespeare, de não se perguntarem: "O que vamos fazer com isso?". Tanto já foi feito, tanto já foi filmado, gravado ou descrito que é difícil não começar por buscar algo surpreendente e novo. O futuro de um jovem diretor pode depender do impacto que ele (ou ela) vai causar. É duro representar personagens como Rosencrantz e Guildenstern sem procurar desesperadamente uma ideia. Esta é a armadilha pronta para abocanhar o pé de qualquer diretor. Qualquer cena de Shakespeare pode ser vulgarizada, tornar-se quase irreconhecível, por causa do desejo de aplicar-lhe um conceito moderno. Isso pode facilmente levar a temperar as palavras, pondo um bêbado dizendo-as num telefone celular ou até a apimentar o texto com palavrões indecentes. Não estou exagerando. Vi um vídeo de um ator tentando em vão descobrir uma nova maneira de dizer "Ser ou não ser". Certa noite, como último recurso, ele se propôs a conferir se a resposta não estaria no álcool.

Instalou então uma câmera, pôs uma garrafa de uísque sobre a mesa ao seu lado, junto com um despertador, e, em intervalos programados, a noite toda, gravou a si mesmo fazendo o solilóquio sem parar conforme ia, pouco a pouco, vertendo o conteúdo da garrafa goela abaixo. O resultado dispensa comentários. Felizmente, há outro caminho. Sempre, uma forma ainda mais bela está esperando para ser descoberta, ao preço de um sensível e paciente esforço de tentativa e erro. Pergunta-se aos diretores: "Qual o seu conceito?". Os críticos escrevem sobre "um *novo* conceito" como se esse rótulo fosse suficiente para definir a montagem como um todo. O conceito de um espetáculo é o resultado, e só aparece no final. Qualquer forma é possível se for descoberta pela investigação cada vez mais profunda da história, buscando no interior das palavras e dos seres humanos, os quais chamamos personagens. Se o conceito for imposto antes por uma inteligência dominadora, todas as portas serão fechadas.

Todos nós podemos ter uma ideia, mas o que dá substância e sabor ao prato?

É MUITO

O MUNDO

GRANDE

ESTAR
PRONTO É
TUDO

Meu pai adorava citações. Este trecho de *Coriolano* – "O mundo é muito grande" – era um de seus favoritos, e ele o citava sempre. Cresci sabendo que essa frase abarcava muito mais do que a amarga rejeição de um guerreiro por sua cidade natal. Não é apenas a violenta batida de uma porta. É um reconhecimento instintivo de que sempre há outras portas se abrindo.

Tenho minha própria lista de citações, e as que me são mais familiares são as de Lear: "Eu me preocupei bem pouco com vocês!"[18]. De Hamlet: "Estar pronto é tudo"[19]. De Gloucester: "Um mundo sentido"[20].

As palavras são tão simples. Talvez o exemplo mais surpreendente disto são as quatro palavras que correram mundo. Al Pacino fez a experiência, cruzando uma rua agitada de Nova York e perguntando para o transeunte mais improvável: "O que você sabe sobre Shakespeare?". A resposta foi instantânea: "Ser ou não ser". Mas por quê? Como podemos entender isso?

Essa pergunta repousa sobre algo tão corriqueiro quanto um pedaço de pão – a palavra. A palavra é o miolo do pão ou uma migalha?

A ampulheta nos dá um aspecto do tempo – cada grão que cai está perdido para sempre. Mas o tempo tem muitas dimensões e, no fim, o tempo se abre para o interminável, para a abolição total do tempo.

---

18 William Shakespeare, *O rei Lear*, trad. Millôr Fernandes (Porto Alegre: L&PM, 2007), p. 77. [N.T.]
19 William Shakespeare, *Hamlet*, trad. Péricles Eugênio da Silva Ramos (São Paulo: Editora Abril, 1976), p. 228. [N.T.]
20 William Shakespeare, *O rei Lear*, trad. Millôr Fernandes (Porto Alegre: L&PM, 2007), p. 113. [N.T.]

Então, numa palavra, mesmo na palavra "palavra", estão todos os níveis que o teatro elisabetano reflete: vai da feira livre ao transcendental. Como isso se ajusta à convicção de que Shakespeare escrevia na velocidade com que pensava?

De sua geração, John Gielgud era quem declamava de maneira mais refinada os versos de Shakespeare. Ele nunca teorizava. Tinha um profundo e instantâneo senso de significação. O ato físico da fala invocava para dentro do ser, de uma só vez, tudo aquilo que seus pensamentos e sentimentos podiam oferecer. De tal modo que ele era um fenômeno neurológico particular. O movimento da sua língua era parte inseparável do movimento do seu pensar; o que o levava a gafes famosas e apreciadas. Assim, quando lhe vinha à cabeça alguma crítica terrível sobre o trabalho de algum ator, imediatamente expressava em voz alta seu pensamento. Isso era seguido por um sincero pedido de desculpas, que vinha na velocidade da luz: "Desculpe-me, rapaz, eu não estava falando de você". Anos depois, já um ator maduro, de meia-idade, foi encorajado a representar pela última vez um Hamlet que havia sido uma verdadeira revelação na sua juventude. Embora eu tivesse muita afeição por ele, fiquei surpreso e desapontado. Ao longo dos anos, ele havia respondido tantas perguntas, tinha ouvido tantas interpretações de cada frase, de modo que sua atuação era lenta e estava completamente bloqueada pelo "tom pálido e enfermo da melancolia". Era uma conferência, não uma representação, como se estivesse lendo todas as notas de rodapé enquanto falava. Tive uma experiência semelhante quando dirigi *Hamlet* pela primeira vez. Cheio de admiração e respeito por esse desafio enorme, estudei atentamente todas as análises detalhadas que me caíram nas mãos. Resultado: não havia espaço para a intuição, de maneira que a montagem foi tediosa, à exceção de Paul Scofield, que recusava toda e qualquer análise ou debate. Ele optou por um caminho próprio, e, quando nos apresentamos em Moscou, o público, tão acostumado com as velhas e elaboradas interpretações de Hamlet em montagens longas e pesadas, foi nocauteado por sua velocidade e clareza. Isso nos ajudou a distinguir o autor autoconsciente, que enriquece as frases com palavras bem escolhidas, do autor de frase instantânea, em que pensamentos e sentido irrompem juntos. Por esta razão, a frase não é literária, ao contrário, é tão simples que se torna um ato normal de fala; como

Estar pronto é tudo.

Dentro do "estar pronto" encontra-se o precioso âmago da experiência. Conscientemente guardado, ou inconscientemente enterrado, constitui uma conexão com o inconsciente coletivo. Quando os atores são capazes de fazer o mundo ressoar dentro deles, esse âmago de experiências pode manifestar-se como consciência.

Estar pronto, que é o mesmo que "prontidão"... eis uma palavra não muito usual, não a utilizamos em nossas conversas cotidianas; porém, no momento em que a dizemos ou a ouvimos, ela soa como algo totalmente apropriado. Mais uma vez, não temos a impressão de estarmos diante de um autor cuidadosamente fazendo literatura. Precisão é tudo.

Na sequência de frases sempre tão simples, podemos descobrir muitas camadas de vida que os tempos tumultuosos em que Shakespeare viveu lhe proporcionaram.

Uma palavra é como uma luva – um objeto inanimado para ser admirado numa vitrine ou até mesmo num museu. Mas a vida é dada pela mão que a preenche com todo e qualquer matiz: do mais banal ao mais expressivo.

Quando trabalhei pela primeira vez em Stratford, esperava-se dos atores uma bela dicção, ressonância e volume. Se fizessem isso, diziam-lhes que as palavras falariam por si só. Na minha primeira montagem de uma peça de Shakespeare, *Vida e morte do rei João*, no Birmingham Repertory Theatre, eu chamava o núcleo dos velhos e leais atores de "Os barões tonitruantes". Foi só bem mais tarde que me surgiu a noção de que os atores deviam buscar a realidade do personagem e a verdade humana já contida na obra de Shakespeare, aspirando que "a mão" dos pensamentos e sentimentos entrasse na luva.

Uma palavra pode ser mais do que uma luva. É como um ímã. Posta sobre um espaço vazio interno, ela pode, quando falada, trazer para a superfície um material escondido no inconsciente. E em momentos muito especiais, ela pode trazer consigo o material compartilhado pela humanidade.

Quando olhamos uma página impressa de uma peça de Beckett, notamos que quase todas as frases são seguidas de *Pausa*. Isso era um aviso para os atores. Tchekhov fazia a mesma coisa, mas, em vez de *Pausa*, ele usava "...". Para que uma simples sequência de palavras adquira a mais completa dimensão humana, aquele que vai falar o texto deve acreditar nas ressonâncias que se originam nessas brechas minúsculas. Esses momentos de silêncio existem nos filmes e nos textos em prosa. Mas no teatro, quando se recria, junto com o público, uma frase diferente a cada apresentação, a pausa, esses três pontinhos de reticência, nunca podem ser os mesmos. É a própria marca da presença da vida.

Muitos anos mais tarde, quando já estávamos instalados no Mobilier National em Paris, à ocasião do nosso primeiro período de pesquisas, uma jovem inglesa veio me ver. Ela estava muito perturbada. Como era moda nos anos 1960, ela havia participado de um grupo experimental. Era conduzido por um diretor mais convencional, porém bem-sucedido, e que foi simplesmente varrido do mapa por conta das novas e impactantes ideias vindas tanto do Living Theatre quanto de Grotowski. Este diretor, tendo abandonado toda a sua experiência com o teatro tradicional, partiu por novos caminhos – os quais ia pegando de ouvido – e trouxe consigo toda a sua reputação e autoridade. Seu grupo era altamente disciplinado e pronto para aceitá-lo como líder e guia. Essa inglesa, então, após meses de trabalho assíduo, encontrava-se naquele momento tristemente desiludida: "Finalmente percebi que não havia nada nas ideias dele. Palavras, nada além de belas palavras".

Então uma porta se abriu: palavras, as mesmas palavras, as mesmas frases, podem nos decepcionar tão facilmente. Se forem belas, somos seduzidos e nos esquecemos que essas mesmas palavras, como uma luva, pode se encher de vazio.

Stanislavski nunca começava com teorias; ele só as formulou depois de uma longa carreira de pesquisa. Ainda existem estudantes que acreditam que podem começar pela conclusão – aquilo que está escrito torna-se uma receita ou um mapa do tesouro, e quantas vezes eles descobrem que aquilo não os leva a lugar nenhum. Tomo muito cuidado quando um jovem diretor me pede para transmitir-lhe aquilo que aprendi. Toda vez em que isso acontece, me vem a aterrorizante lembrança daquela atriz inglesa: "Palavras, nada além de belas palavras".

A QUALIDADE DA CLEMÊNCIA

SOBRE PRÓSPERO

Dentre as citações mais conhecidas de Shakespeare está "A qualidade da clemência".[21] Mas antes de abordar as palavras "qualidade" e "clemência", gostaria de voltar novamente a *Trabalhos de amor perdidos*. Esta peça, escrita por um jovem, pleno de todas as imagens que lhe trazem os sentimentos da vida, sob todas as formas, é uma experiência extraordinária, inacreditável e inebriante. Quando assisti a essa peça pela primeira vez – e então, pouco tempo depois, tive a felicidade de poder dirigi-la –, fui golpeado por alguma coisa que me parecia óbvia. No final dessa incrível e aparentemente artificial comédia dançante, bem no finalzinho, antes do momento em que, é claro, tudo tem de acabar bem, de repente – e até poderíamos arriscar a dizer sem necessidade aparente – a morte entra na história.

Um grupo de pessoas, que vivia alegremente num mundo encantado, de repente se vê obrigado a reconhecer que esse mundo é somente uma parte, e não a totalidade da existência. Por que, podemos nos perguntar, nesta peça, Shakespeare foi além das convenções, não só de sua época, mas de todos os autores de comédia, tornando esse momento final algo tão intenso, tão pungente? Não respondi essa pergunta, mas a mim me pareceu, apenas, que a qualidade da experiência vivenciada pelo público com essa peça seria transformada e elevada se fosse dado a esse momento o valor que o autor pretendia. Se essa peça repentinamente introduzia uma enigmática coexistência entre luzes e

---

21 William Shakespeare, *O mercador de Veneza*, trad. F. Carlos de Almeida Cunha Medeiros e Oscar Mendes (São Paulo: Editora Abril, 1981), p. 349. A frase aparece na fala de Pórcia, no ato IV, cena I, na qual ele pede clemência a Shylock [N.T.]

trevas, a mim me parecia que era essa a impressão que Shakespeare desejava que o público levasse consigo, porque isso correspondia a alguma coisa da sua própria experiência.

Examinamos o restante das peças de Shakespeare, com a extraordinária amplitude do leque de personagens, de situações e experiências, com sua espantosa riqueza da vida exterior, da vida social, da vida política, da vida psicológica e da vida espiritual que perpassa toda a sua obra. Então chegamos à última peça de Shakespeare, *A tempestade*. Pergunte a qualquer apaixonado por Shakespeare se ele consegue se lembrar da última palavra da última peça de Shakespeare. Até onde podemos dizer, essa poderia muito bem ser a última engenhosa palavra que ele escreveu. A última palavra de *A tempestade* é "livre" (*free*).

> Meu fim será desesperação
> Se não tiver sua oração,
> Que pela força com que assalta
> Obtém mercê pra toda falta.
> Quem peca e quer perdão na certa,
> Por indulgência me liberta[22].

É interessante pensar que todo o movimento de Shakespeare em busca do entendimento pode tê-lo

---

22 William Shakespeare, *A tempestade*, trad. Barbara Heliodora (Rio de Janeiro: Nova Aguilar S.A., 1999), p. 129. No original: "And my ending is despair,/ Unless I be relieved by prayer,/ Which pierces so that it assaults/ Mercy itself and frees all faults./ As you from crimes would pardoned be,/ Let your indulgence set me free." [N.T.]

levado a concluir sua última peça com um personagem – o próprio Próspero – dizendo ao público "me liberta".

Mas, o que vem antes dessa frase? "Meu fim será desesperação".

Essa frase também poderia marcar o fim... por que não? Existem muitas peças, muitas peças contemporâneas, muitas peças do século xx, muitas, muitas peças, mesmo atualmente, cujos autores considerariam este um excelente jeito para terminar uma apresentação: "Meu fim será desesperação". Seguido de "Cai o pano", e, um tempinho depois, "Blecaute". E o público, após um instante, aplaudiria vigorosamente, porque entenderia e simpatizaria com o que o autor está tentando dizer. Mas, na verdade, quando Shakespeare escreveu isso, havia nele algo além, e que sentiu como essencial a ser dito – para que a frase continuasse com uma restrição: "Se não tiver sua oração".

Se fizermos uma leitura ingênua dessas palavras – como se frequentássemos uma escola dominical –, cairemos em algo horrivelmente banal porque, se Shakespeare tivesse feito disto seu epílogo, ele teria escapado da armadilha infeliz de um "fim em desesperação", pondo, no seu lugar uma palavra vaga, piedosa e totalmente degradada como "oração", cujo sentido não mais do que duas pessoas podem estar de acordo. Em vez disso, Shakespeare nos diz "pare, ouça: 'oração' deve ser entendida como o que realmente é. Não estou falando de oração que não passa de 'por favor, dê-me isso ou aquilo, faça isso por mim'; Próspero está dizendo que ele precisa de uma oração "Que pela força com que assalta/ Obtém mercê pra toda falta".

Que mestre zen daria a seus discípulos tamanho enigma? Existe um *koan* mais desafiador do que cada elemento dessa frase?

"Uma oração que pela força com que assalta" já é alguma coisa que alguém pode levar muitos anos num monastério tentando entender. O que seria a força de uma oração, que é tão forte que assalta? Como uma oração pode assaltar, e o que ela obtém do assalto? Ela obtém clemência. Shakespeare firmemente põe lado a lado "assalto" e "clemência", e, deste incompreensível paradoxo, claro mas ainda obscuro, que nos paralisa o pensamento, vem uma resolução muito simples: que os "pecados" – palavra muito pesada – são perdoados pela indulgência que só pode dar a liberdade.

Se aqui entro em detalhes, é porque um dos maiores perigos, penso eu, que todos nós corremos quando dirigimos Shakespeare, é o da tendência a simplificar e reduzir. Muitas vezes, a fala final de Próspero é tomada como encantadora, elegante, persuasivamente convencional. Até costuma-se dizer que aqui Próspero não é mais Próspero mas o próprio ator que vem até o proscênio para dizer: "Caros amigos, a peça chegou ao fim; gostaria de agradecer ao cenógrafo e aos músicos; por favor, vamos aplaudi-los, assim podemos todos ir para casa". Todos aqueles que assistiram a essa peça muitas vezes ouviram palavras assim apresentadas como uma fala convencional de proscênio. Existem muitos livros de crítica que dizem que isso não passa de uma finalização convencional do teatro cômico, que a peça é uma comédia romântica graciosamente encerrada por essa pequena fala rimada. Por outro lado, se alguém atentar para o que está escrito, verá que tal atitude é absolutamente impossível: nenhum ator que esteja seguindo aquilo que está escrito poderá dizer

> Meu fim será desesperação
> Se não tiver sua oração,
> Que pela força com que assalta
> Obtém mercê pra toda falta

como se fossem palavras sem importância.

Os temas abordados por Shakespeare são incontáveis, mas constantemente sua escrita é protagonizada pela questão da ordem e do caos, do caos e da ordem – o que é o caos, qual o lugar do caos, o que é a ordem, o que queremos dizer com ordem, o que a ordem pode trazer, qual sua relação com o caos? Talvez estes sejam os temas que mais próximos estão das nossas vidas, ambos externa e internamente nesse momento da história. Estamos dentro do caos – não podemos negá-lo, e o caos à nossa volta é um caos interno –, todo mundo reconhece isso, penso eu, muito facilmente, dentro de si. Há uma profunda, e às vezes desesperadora, necessidade de ordem. E ainda vivemos um momento em que nós, talvez, enxerguemos claramente que não se pode seguir no sentido aparente nem de caos, nem da ordem. O caos não pode somente ser equiparado a uma absoluta catástrofe. Caos é mais do que algo totalmente catastrófico; caos e catástrofe não são exatamente a mesma coisa. E a ordem, por sua vez, é constantemente traída; todos os profetas, todos os líderes que se puseram de pé, diante de um público, com a intenção de chamarmo-nos para uma ordem, sempre traíram a ordem, substituindo-a por algo inventado, até mesmo uma ordem lindamente inventada. Sentimos falta de ordem, e, no entanto, começamos, hoje em dia, a sermos mais respeitosos com o caos. Podemos sentir a tremenda e dinâmica potência dessas forças quando elas se encontram libertas. E podemos amar e respeitar a qualidade extraordinária da quietude que até mesmo uma vela pode expressar, e perceber como o caos do fogo não está em contradição com a compreensão da chama. Este é o tema que perpassa toda a obra de Shakespeare.

Por exemplo, há o interior confortável e caloroso de *Rei Lear*, onde um velho, dotado de um poder incrível, admirável e espantoso, com notável autoridade, manteve uma ordem, enquanto que exteriormente há uma força fenomenal da natureza e o poder da loucura. Essa separação tem de ser reunida. Em *Rei Lear*, duas visões completamente distintas da vida humana, seus significados e suas necessidades, estão presentes em justaposição, oposição e, finalmente, reconciliação. Como? O que as reconcilia? Em tantas outras peças, peças de guerra, peças de rixas, peças de conflito, peças de antagonismos, de ódio, de assassinato, de ciúme, é possível ver uma noção de ordem, uma noção de estrutura, desafiada e varrida do mapa por energias tremendas. Sem querer reduzir Shakespeare a qualquer que seja o tema, essa característica particular vai de uma peça à outra: grandiosas fontes de energia que se opõem, levando a conflitos dinâmicos. Quando nos voltamos para *A tempestade*, vemos essa singular batalha muito claramente dramatizada por Shakespeare no interior de sua última história.

Antes do começo da peça, Próspero era um duque muito fino, culto, sensível e inteligente. Mas ele era um duque que havia sido brutalmente enxotado de seu posto, rechaçado, posto para fora de seu palácio. E a coisa interessante aqui é que ninguém pode dizer "pobre homem", ou "coitado do duque de Milão"; a única coisa que se pode dizer é que ele mereceu isso. Por quê? Próspero mereceu isso porque, como um frequentador de bibliotecas, um leitor de assuntos espirituais, um estudioso do ocultismo, era um indivíduo admirável, romântico, um tanto quanto sonhador – e claramente um duque muito medíocre. Ele não tinha noção do que era esperado de alguém na sua posição. Enquanto que, em *Medida por medida*, o duque faz um esforço para enfrentar essa situação.

O Mahabharata nasceu de uma necessidade: a de educar um jovem, num certo momento da história da Índia, quando, tornar-se rei, era visto como o maior de todos os papéis. E os dezoito volumes deste grande poema épico indiano estão unicamente escritos para preparar um jovem que vai passar da ingenuidade para a compreensão – compreensão que está em todos os níveis: desde a compreensão da prática mais dura, por exemplo, de como usar espiões, à compreensão que lhe chega por meio de Krishna, conduzindo-o à sua mais profunda e secreta compreensão interior, a da natureza do próprio desenvolvimento existencial.

O Mahabharata funciona como um tratado de formação. Infelizmente, Próspero, com todo seu repertório, nunca entrou em contato com os volumes dessa obra indiana; então lá estava ele, mergulhado em sonhos românticos, enquanto seu reino seguia à deriva. Seu impiedoso irmão era um homem que entendia a ordem da maneira mais crua, do mesmo jeito que os políticos costumam entendê-la. Hoje em dia, não existe um político que, uma vez ou outra, não tenha proclamado em seu discurso "a necessidade de ordem".

Ali está ele como parte da máquina do seu partido, no cerne de sua estrutura. Consegue se eleger explorando uma parte minúscula do amplo conceito de ordem. E, obviamente, no processo, ele reduz esse amplo conceito não só para algo insignificante, mesquinho, mas, finalmente, para algo perigoso e destrutivo.

Do mesmo modo, Próspero traiu a ordem, e seu irmão ordeiro veio e restaurou sua noção de ordem, livrou-se de Próspero, e Próspero foi expulso num barco apodrecido, indo parar numa ilha deserta. Próspero foi acordado de seu confortável sonho milanês, e começou a encarar a realidade de outra maneira. Próspero é frequentemente reduzido a um homem velho e idiota perdido numa ilha. Não pode haver algo mais extraordinário para uma filha do que ouvir seu pai revelar-lhe, de repente, todo o mistério do passado dela e, apesar disto, vi essa grande cena representada por uma filha bocejante, como se dissesse ao público: "Ah, isso não acaba mais, queria só que ele parasse de me contar essas coisas chatas e velhas do passado".

No entanto, se alguém olhar para o que, na verdade, está na peça, verá algo muito diferente e muito mais fascinante. Próspero é arrancado de seu sonho numa circunstância muito dura e inclemente, numa ilha, a primeira vista, deserta, e ele tem de aprender a respeito de um outro mundo, ele tem de aprender coisas do mundo espiritual que ele acreditava poder encontrar nos livros. Agora ele tem de descobrir isso de modo penoso, por meio de sua própria experiência. Ele encontra bruxas, espíritos e, particularmente em Caliban, forças muito violentas.

O que sabemos, de certo, sobre Próspero, que não seja simplesmente especulação? Se ouvirmos o famoso discurso em que ele fala sobre sua magia, veremos que é muito convincente. Ele não só se tornou mago para fazer pequenos truques ou fazer aparecer comida para que ele e sua filha não morram de fome; não foi apenas para ter alguns elfos e duendes como escravos, servindo-lhe à mesa e limpando sua cabana. Ele diz, de maneira muito precisa, que não só jogou prazerosos jogos com os espíritos, como foi além: aprendeu como fazer trovões e relâmpagos obedecerem a seus comandos. Em outras palavras, ele entrou num jogo de poder muito perigoso: começou a adquirir poder sobre as forças e as energias mais básicas da natureza. E, ademais, diz que usou isso para sua própria diversão, para abrir sepulturas e levantar cadáveres. Essa passagem é sempre exageradamente destacada, mas muito especificamente é o que Próspero narra como sendo sua própria vida. Ele penetrou no caos das forças naturais, viu como o homem pode dominá-las, comandá-las e assumir a forma de um super-homem, e como esse super-homem encontra-se então pronto para empreender sua vingança. Ele atingiu um atemorizante pico do desenvolvimento humano; tornou-se um feiticeiro, tem poder. Agora pode se vingar do irmão que lhe tirou o ducado; ele pode fazer com que o irmão caia em suas mãos.

Bem nesse ponto é possível fazer a pergunta: "Isso quer dizer que ele se tornou um homem livre? Isso é liberdade?". Quando eu tinha 17 anos, li num livro sobre magia que se seguíssemos as feitiçarias ali explicadas seria possível pôr um exército ou belas mulheres em nosso próprio comando. Quando li aquilo aos 17 anos pensei: "Isso é que é liberdade". O que mais alguém pode querer na vida senão sentar-se com um livro, entoar algumas frases e, de repente, ter não só todas as mulheres desejadas, mas um exército para nos defender dos namorados e maridos ciumentos? Essa parecia ser a imagem clara de um homem livre! E certamente Shakespeare muito astuciosamente cria essa armadilha para o público, porque ele nos leva a desenvolver uma admiração cativante por essa superfigura que chamamos de mago. Mas em *A tempestade* isso não é o fim da peça, nem é do que ela trata. Na trama secundária, ambição, ódio e vingança dominam. Tríngulo, Stephano e Caliban conspiram para matar Próspero. Mas Próspero reconhece que deve abandonar completamente essa magia, ele tem de afogar seus livros e quebrar sua varinha mágica. Apenas quando tiver feito isso será capaz de passar totalmente a outro patamar, e esse patamar é o que separa a vingança do perdão. Agora, finalmente, ele está em condições de ser um homem como os outros. E agora ele enxerga que não pode simplesmente carregar consigo a pretensão de julgar o irmão. O máximo que ele pode fazer é devolver a ilha a Caliban – que é como um iniciante a seguir seu próprio caminho da existência – para então voltar à sua antiga vida, como era antes. Embora Próspero venha novamente a ser chamado de duque, agora ele sabe que sua verdadeira necessidade é voltar aonde começou, à *sua* Milão, a seu lugar de origem, ao seu ponto de partida como um homem entre outros, como uma pessoa simples.

E não é aqui ainda onde a peça termina. Agora voltará, assim ele diz, e viverá uma vida simples "Onde hei de pensar muito na morte"[23].

---

23 William Shakespeare, *A tempestade*, trad. Barbara Heliodora (Rio de Janeiro: Nova Aguilar S.A., 1999), p. 127. No original: "Every third thought shall be my grave." [N.T.]

Vamos nos lembrar, por um momento, daquela repentina entrada da morte que traz sentido para *Trabalhos de amor perdidos*; novamente aqui, somos levados a "pensar muito na morte". Mas se Shakespeare tivesse concluído a peça nesse ponto e não tivesse escrito o epílogo, alguma coisa estaria faltando, algo ainda estaria frouxo, nebuloso, vago, incompleto. E é aqui onde a peça é, a meu ver, um grande desafio para nossa compreensão. Há ordem e caos. Há poder e abandono do poder. Há orgulho e humildade... e ainda, em todas essas oposições, existe alguma coisa que não está dita, e que faz uma profunda falta. O que poderia abarcá-los e juntá-los todos? O conflito evoca uma pergunta poderosa: fora do conflito que, por si só, poderia durar para sempre (porque o conflito é dinâmico, mas não pode ir além do seu próprio nível), o que está faltando para que este constante e dinâmico conflito, no qual a totalidade da vida, como sabemos, está baseada, possa ser transformado? Qual é o elemento de transformação que ainda não está presente em Próspero; ele, que afogou seus livros, quebrou sua varinha mágica, tornou-se humilde, voltou à vida comum, não mais como um sonhador, mas agora com um homem que tocou todas as fibras da vida, e, por meio disso, reconhece que é um homem como qualquer outro? O que ainda está faltando? Creio que é para tocar essa dádiva incompreensível para a humanidade, contida na expressão "me liberta", que Shakespeare propõe uma "oração, que pela força com que assalta obtém mercê pra toda falta". Esse pensamento não é nenhuma novidade, pois ele já havia introduzido numa peça anterior a convicção de que há certa qualidade que nenhum de nós pode ver, nenhum de nós pode definir, e que ainda tem a total capacidade de trazer uma verdadeira liberdade: ele a chamou de "a qualidade da clemência". Gostaria de terminar com essas duas palavras: "qualidade" e "clemência". E, quando alguém tenta definir precisamente do que se trata, partindo de uma compreensão ordinariamente argumentativa, dá um passo para fora da possibilidade de outra forma de compreensão. Qualidade, clemência, liberdade: é nessa tríade que mora o enigma Shakespeare.

EPÍLOGO

Este livro começou com uma pergunta: "Quem escreveu Shakespeare?". A pergunta já está ultrapassada. Qualquer que seja o rótulo, é a qualidade da experiência viva que hoje nos interessa. Nada mais.

Por isso temos de reconhecer os milhões de formas que transbordam dessa arca do tesouro chamada Shakespeare.

"Forma" e "qualidade" são palavras cuja simplicidade é a sua ruína; como verdadeiros baús, esses termos guardam uma série infinda de níveis que vão do ridículo ao sublime, e vice-versa.

Para qualquer ator, diretor, colaborador, crítico, só há um traiçoeiro, esquivo e magnífico itinerário quando abordamos a obra de Shakespeare. Este itinerário não pode ser só subjetivo, nem verdadeiramente objetivo. Sua obra é como uma escada escorregadia. Temos de, continuamente, olhar para dentro e prestar atenção no que está desperto quando, aquilo que está dentro, encontra o que vem de fora. Qual é o processo, por meio do qual, algo que está escondido pouco a pouco ganha forma? Ao mesmo tempo, devemos usar tudo o que estiver ao nosso alcance para ajudar esse algo a tornar-se aquilo que somos obrigados a chamar de "qualidade".

Shakespeare. Qualidade. Forma. É aí que nosso trabalho começa. E nunca pode terminar.

CRONOLOGIA DAS MONTAGENS
DE SHAKESPEARE
DIRIGIDAS POR PETER BROOK

1945 *Rei João*, Birmingham Repertory Theatre
1946 *Trabalhos de amor perdidos*, Stratford-upon-Avon
1947 *Romeu e Julieta*, Stratford-upon-Avon
1950 *Medida por medida*, Stratford-upon-Avon
1951 *Conto de inverno*, Teatro Phoenix, Londres
1955 *Tito Andrônico*, Stratford-upon-Avon e turnê europeia
Hamlet Teatro Phoenix, Londres; Teatro de Arte de Moscou, Moscou;
1957 *A tempestade*, Stratford-upon-Avon
1962 *Rei Lear*, Stratford-upon-Avon; Londres e Nova York
1968 *A tempestade*, Stratford-upon-Avon; Teatro Aldwych, Londres
1970 *Sonho de uma noite de verão*, Stratford-upon-Avon
1972 *Sonho de uma noite de verão*, Nova York e turnê mundial
1974 *Timon de Atenas*, Bouffes-du-Nord, Paris
1978 *Medida por medida*, Bouffes-du-Nord, Paris
Antônio e Cleópatra, Stratford-upon-Avon
1990 *A tempestade*, Bouffes-du-Nord, Paris
2000 *A tragédia de Hamlet*, (em inglês) Bouffes-du-Nord, Paris
2002 *A tragédia de Hamlet*, (em francês) Bouffes-du-Nord, Paris

Fontes New Grotesk Square, Sectra
Papel Pólen bold 90 g/m²
Impressão Interfill Indústria Gráfica
Data Dezembro de 2016